dirigée par
Noël Audet

Le Retour de Sawinne

Du même auteur

Inutile et adorable, roman, Cercle du Livre de France, Montréal, 1964.

À nous deux, roman, Cercle du Livre de France, Montréal, 1965.

Les Filles à Mounne, nouvelles, Cercle du Livre de France, Montréal, 1966.

Le Journal d'un jeune marié, roman, Cercle du Livre de France, Montréal, 1967.

La Voix, roman, Cercle du Livre de France, Montréal, 1968.

L'Innocence d'Isabelle, roman, Cercle du Livre de France, Montréal, 1969.

L'Amour humain, scénario, Cercle du Livre de France, Montréal, 1969.

Gilles Vigneault, mon ami, portrait, Éditions La Presse, Montréal, 1970.

La Marche des grands cocus, roman, Éditions de l'Homme, Montréal et Éditions Albin Michel, Paris, 1971.

Moi mon corps mon âme Montréal etc., roman, Éditions de l'Homme, Montréal et Éditions Albin Michel, Paris, 1974.

Les Cornes sacrées, roman, Éditions Albin Michel, Paris, 1976. Prix Louis-Barthou de l'Académie Française.

Le Cercle des arènes, roman, Éditions Albin Michel, Paris, 1982. Prix France-Canada et Prix du gouverneur général du Canada.

Pour l'amour de Sawinne, roman, Éditions Sand, Paris et Libre Expression, Montréal, 1984.

Les Sirènes du Saint-Laurent, récits, Éditions Primeur, Montréal, 1984.

Chair Satan, roman, Éditions du Boréal, Montréal, 1989.

La Danse éternelle, roman, Éditions Trois, Montréal, 1991.

Le Retour de Sawinne

ROGER FOURNIER

roman

ÉDITIONS QUÉBEC/AMÉRIQUE
425, RUE SAINT-JEAN-BAPTISTE, MONTRÉAL, QUÉBEC H2Y 2Z7 (514) 393-1450

Cet ouvrage a été publié grâce à une subvention du Conseil des Arts du Canada.

Données de catalogage avant publication (Canada)

Fournier, Roger, 1929-

Le retour de Sawinne

(Collection Littérature d'Amérique)

ISBN 2-89037-603-6

I. Titre. II. Collection.

PS8511.0875R47 1992 C843'.54 C92-096908-9
PS9511.087R47 1992
PQ3919.2.F68R47 1992

Dépôt légal:
4e trimestre 1992
Bibliothèque nationale du Québec
Bibliothèque nationale du Canada

Montage
Andréa Joseph

Antigone
Œdipe, ô mon père usé par la douleur, je distingue là-bas devant nous les remparts d'une ville. Et nous foulons un sol consacré, si j'en crois le laurier, l'olivier et la vigne qui le couvrent et ces voix de rossignols de toutes parts jaillissant sous la ramée. Baisse-toi jusqu'à cette pierre rude. Tu as fait une longue route pour un vieillard.

Œdipe
C'est cela, fais-moi asseoir et veille sur l'aveugle.

Sophocle, *Œdipe à Colone*, Prologue, Garnier-Flammarion.

«La pensée a construit cette culture d'agression, de compétition et de guerre. Et pourtant, c'est cette pensée même qui tâtonne pour trouver l'ordre et la paix. Mais quoi qu'elle puisse faire, elle ne trouvera jamais ni ordre ni paix. La pensée doit se taire pour que l'amour soit.»

Krishnamurti, *La Révolution du Silence*, Stock+Plus.

Saint-Anaclet, le 22 octobre 1991

Marielle
Quai des Grands Augustins
Paris

Ma chère Marielle,

Cette lettre sera la dernière. Tu t'en doutes un peu, j'imagine, puisque me voilà revenu à mon point de départ. Un point de départ qui se confond avec un point d'arrivée, un peu comme la sénilité ressemble à la toute première enfance. Tu comprendras facilement que je n'aie pas tellement le goût de m'étendre sur ce sujet...

Tu dois te demander pourquoi j'ai coiffé cette lettre d'un titre? Et en plus, d'un titre qui n'a rien à voir avec notre aventure... Un titre qui contient le nom de Sawinne! Qu'est-ce qu'elle vient faire là, Sawinne?

Non, elle n'est pas l'une de mes ex-maîtresses, ni l'une de mes filles abandonnées qui reviendrait à la maison pour me faire une surprise. Je n'ai pas d'enfant. Sur ce sujet, je ne t'ai pas menti.

Sawinne fait partie de ma famille, même si je ne t'ai jamais parlé d'elle. Tu étais une maîtresse merveilleuse, mais tu es une femme à qui on ne dit pas tout.

Pourquoi? Parce que, quand il y a de l'incertitude dans tes yeux, ton visage prend les allures d'une belle soirée d'été, au moment où le soleil vient de plonger dans la mer et que les grenouilles se mettent à chanter. Alors on a envie de se couler le long de ton flanc et de te caresser jusqu'à l'aube, dans l'espoir de tuer le temps.

En te quittant, je m'étais juré de ne pas t'écrire, mais je n'ai pas pu résister à la tentation de raconter chacune des étapes que je franchissais: Paris, Montréal, Québec, Rimouski, Saint-Anaclet. À rebours... Jamais je n'aurais cru qu'une telle chose pût m'arriver. En réalité, je le savais bien mais je le refoulais, comme tant d'autres tavelures de l'âme... J'étais parti pour toujours, il y a si longtemps...

Aujourd'hui, je me souviens encore de ce départ, en boghei, par un beau matin de septembre. L'un de mes petits frères jouait sous la galerie. Mon père lui a dit de me dire au revoir, parce qu'il ne me reverrait plus. Il m'a regardé, sans trop comprendre, m'a dit «bonjour», puis il est retourné à son jeu d'enfant. Il m'a revu, bien sûr, mais je n'étais déjà plus le même. De sorte que mon père avait raison, en un certain sens...

Mais je ne veux pas raconter dans le sens de l'histoire, à partir du début, dans l'ordre chronologique. D'ailleurs, cet ordre chronologique a quelque chose de pénible. Pénible parce que la pensée est rattachée au temps. Laborieuse, la pensée s'esquinte à se fabriquer un chemin qui va l'amener à la perception des choses (tout ce qui existe, physiquement ou non). Le temps est justement l'espace que la pensée parcourt pendant ce travail qui l'amène à une certaine perception. Voilà la misérable condition humaine: cette dépense d'énergie et de temps. La divinité, elle, n'a pas besoin du temps que requiert la pensée. Elle saisit le tout instantanément, comme un miroir qui réfléchit la lumière. Voilà ce à quoi il faut tendre, car le bonheur est par là, quelque part.

Dans cette lettre, il m'arrivera donc souvent de négliger l'ordre chronologique, au risque de t'embrouiller un peu. Il faut s'y résigner, comme on accepte les poèmes, quitte à les comprendre seulement après la millième lecture. Sinon il faudrait fusiller tous les vrais poètes, surtout ceux qui s'abstiennent d'écrire des vers...

Donc, mon dernier départ important, aussi important que celui en boghei, c'est celui de Paris, il y a deux ans. Je te quittais pour la dernière fois, et j'étais incapable de te dire pourquoi. Évidemment, tu as cru que je ne t'aimais plus.

Le hasard a voulu que cet adieu se fasse devant Notre-Dame, ou à peu près. Sur le pont au Change, exactement. «La vieille basilique», comme l'appelle Gérard, pesait sur nous de tout son poids culturel. Un poids impossible à quantifier, bien sûr. Au sujet des cathédrales, il se passe un peu la même chose qu'avec l'information aujourd'hui: il y en a tellement qu'on ne sait plus rien. De même, on regarde Notre-Dame de Paris et il y a tellement de milliers de choses merveilleuses à voir qu'on ne voit plus rien. On se décourage et on reste bouche bée, avalant les mouches. Voilà comment cette merveille est devenue un symbole.

Nous étions donc devant ce symbole qui nous écrasait de tout son poids culturel et je te tenais par les épaules en te disant:

— Je pars aujourd'hui...

— Reste encore une semaine, au moins!

— Non, je ne peux pas...

— Au moins, dis-moi pourquoi...

La veille, dans ton petit appartement, j'avais essayé de faire l'amour avec toi. Sans succès.

— Dis-moi ce que je dois faire pour que tu me désires encore!

Pauvre Marielle. Même si tu es très intelligente, il t'arrive, à toi aussi, de dire des conneries. C'est normal, quand on se bute à un mur invisible. L'absurde engendre le dérapage du raisonnement sain... Enfin, celui auquel on a habitué la majorité des humains, pour qu'il y ait un semblant d'ordre dans la vie de tous les jours. Et c'est bien. Quoique... Quoique... Je suis quand même sûr qu'au fond de cette chose qu'on appelle la conscience (ensemble esprit-âme-intelligence-mémoire), il y a une étrange aspiration à l'anarchisme, à la débandade générale. D'où les catastrophes comme les guerres, qui sont de vraies fêtes. Perdre la raison momentanément assure l'équilibre, évidemment, et il vient un moment où on se demande si on ne devrait pas vivre continuellement dans cet état de déroute intellectuelle. Mais je reviendrai certainement un peu plus loin sur ce sujet, qui est capital à mes yeux.

Je cesse de parler de nous deux, subitement, pour te dire que Josué est arrivé hier, en compagnie de sa fille Sawinne qui le tient par la main. (Voilà donc la Sawinne!) Si j'en parle tout de suite, c'est parce que dans le temps psychologique, c'est normal: nous sommes tous les deux devant Notre-Dame de Paris, et Josué arrive de la Baie-James, du barrage LG2. Ça raccorde, comme on dit au cinéma! Tu ne vois pas? Vraiment pas?

Moi ça me crève les yeux! LG2, c'est notre cathédrale à nous, les Québécois. Notre plus grande réussite. Bien sûr, il y a la faculté d'art dentaire de l'Université de Montréal, qui est formidable, mais comme ouvrage architecturo-mécanico-productif, LG2 est notre merveille du siècle.

LG2 est donc dans la balance, pour ainsi dire, en face de Notre-Dame, arrimé à la Seine, si tu veux, mais toutes les vannes sont fermées. À Paris, ils n'en ont pas besoin pour faire de l'électricité. Je te tiens par les épaules et tu me demandes ce que tu pourrais faire pour que je t'aime encore, pour m'exciter sexuellement, et il n'y a pas de réponse précise. Moi, j'ai seulement envie de te dire une chose que je ne t'ai jamais dite: je suis le frère de Josué. Oui, aussi vrai que tu es la femme de Jean-Pierre, qui est mort, mais que tu as commencé à tromper avec moi avant sa mort. J'emploie le mot «tromper» pour dire que tu as été ma maîtresse tout en étant la femme de Jean-Pierre, mais c'est pour parler comme tout le monde, comme si j'avais peur de ne pas être compris. Personnellement, je ne crois pas beaucoup à la tromperie, dans les relations sexuelles. Il n'y a rien de rationnel dans ce que je pense, mais je me dis que le mouvement *vers* quelqu'un est quelque chose de positif. L'autre, à qui on est attaché, par contrat ou autrement, est placé sur la voie d'évitement pendant un certain temps. Tant pis pour lui. On n'a pas le droit d'arriver dans l'éternité avec des trous de cette grosseur dans le chemin qu'on a parcouru sur la terre. (Trous: temps morts. Vides. Moments de néant). (Je pense à la phrase de Jules Renard, que je cite de mémoire: «Mourir passe encore, mais se présenter devant Dieu et être obligé d'admettre qu'on n'a jamais eu de maîtresse, quelle honte!»). Cela, au cas où il y aurait quelque chose après... Et s'il n'y a rien, c'est encore pire...

Qu'est-ce que tu peux faire pour que je puisse encore faire l'amour avec toi? Rien, Marielle. Rien.

— Tu ne m'aimes plus?

— Je t'aime, plus que jamais, au contraire.

— Alors pourquoi pars-tu? Je ne comprends pas!

Tu pleures, tu trembles, et ta peau flétrie par le temps devient quelque chose de pitoyable. Je te presse contre moi, fébrilement, et je sens la mollesse de ta chair qui a perdu beaucoup de sa fierté. Or justement, j'aime cette chose que tu deviens, malgré toi, et qui te rend malade. Mais je vais m'en aller quand même...

Quand tu vas mourir, je ne serai pas là pour te tenir la main, si tu meurs avant moi. Et si je meurs avant toi, tu ne seras pas là pour faire de même. Mais c'est très bien comme ça.

— C'est révoltant, ce que tu dis là!

Passe un bateau-mouche avec son chargement de touristes admiratifs. Il glisse vers l'île Saint-Louis, doucement, avec un frémissement de l'air et de l'eau qui rappelle un peu le bruissement de l'air quand un grand oiseau se déplace à basse altitude, d'une aile paresseuse... Marielle, tu ne te rends pas compte que nous sommes ce bruissement d'aile, ce glissement sur l'eau. Voilà pourtant bien la première chose importante qu'il faut apprendre: le fait que nous passons... Nous faisons tous partie d'une clientèle de passage, descendus du même train, au même hôtel. Le bordel n'est pas une institution quelconque! Attention! C'est l'un des symboles les plus profonds qui soient. Ça crève les yeux; donc on ne le voit pas...

— Pourquoi dis-tu que c'est révoltant? C'est pourtant simple... Il me semblait que je te l'avais déjà dit... Je ne peux rien contre ta mort, et tu ne peux rien contre la mienne. Même si j'étais là pour te tenir la main, tu serais quand même seule à faire le saut, le moment venu. Idem pour moi. Chacun son lot, inutile de chialer pour rien.

— Tais-toi, tu me fais mal... Tu ne sais pas que je t'aime?

Ton corps flétri est secoué par la révolte que fait monter en toi l'impuissance de tes beaux sentiments. Soudain, tu es l'image même de ce qui a fait dire à Shakespeare: «Fragilité, ton nom est femme.» Mais il y a là quelque chose qui, selon moi, ne colle pas à la réalité. Tu n'es pas fragile. Tu es impuissante. Et c'est cela qui te déchire. Tu ne sais pas que ça me fait très mal, même si je ne pleure pas. Mais je ne dis rien. C'est la raison pour laquelle je t'écris aujourd'hui, pour que tu le saches... Au cas où tu pourrais me pardonner d'avoir été si souvent silencieux...

Sur le moment, donc, devant toi, je ne dis rien. Je sens le poids de Notre-Dame s'ajouter à celui du temps et de l'espace que j'ai parcourus avec toi. Ma détermination de te quitter en est encore plus forte.

Oui, je sais que tu m'aimes, mais tu m'aimes encore avec ton corps, avec ton cœur, avec tes mains. Tu m'aimes encore pour ce que je peux te donner en étant dans tes bras. Et à cet instant même je me demande si je vais avoir la force de te dire que tu es égoïste. Non, je ne le dis pas parce que je ne veux pas te faire trop mal.

Dans les relations entre les hommes et les femmes, beaucoup de malentendus viennent du fait que l'on veut ménager l'autre. C'est bien dommage...

Josué porte maintenant une longue barbe toute blanche, et il marche en s'appuyant sur un bâton. De Thésée qu'il était, il est devenu un vrai Œdipe.

Ce que tu ne sais pas, toi, c'est que Sawinne est celle qui est à l'origine de cette transformation peu commune, aussi radicale qu'un changement de sexe par chirurgie! Oui, c'est elle qui lui a crevé les yeux, avec une fourchette. Sa propre fille! On s'amusait ferme, dans la famille, à cette époque-là... J'ai souvent pensé à cette scène, depuis qu'elle a eu lieu, il y a une quinzaine d'années. Sawinne avait alors dix-huit ans, et maintenant elle est au printemps de sa course: la jeune trentaine. Oui, j'ai revu cette scène des centaines de fois, comme un maniaque de cinéma qui se projette une fois par semaine un vieux Charlot qu'il admire. Josué mal réveillé, avec la gueule de bois, assis dans sa chaise, épuisé par le remords, incapable de parer le mouvement vif de Sawinne qui ouvre un tiroir, saisit une fourchette et la lui plante dans les yeux en deux coups secs. Elle jette ensuite la fourchette maculée de sang sur le comptoir de la cuisine et elle sort, la tête haute, vêtue de noir. Seule, elle marche sur la neige durcie par le froid, dans un éclat de lumière que le soleil d'hiver rend aveuglant.

Pourquoi je l'aime tant, cette scène? Parce que j'aime l'absolu. Et à ce moment-là, Sawinne est une déesse. Sa décision d'aveugler son père est la seule qui réponde vraiment à la stature de son personnage, et l'exécution en est parfaite. La précision et la rapidité du geste témoignent de la perfection physique de son corps, lequel est guidé par une conscience que deux millénaires de civilisation grecque ont façonnée. Personne d'autre que Sawinne ne pouvait pratiquer cette opération sur mon frère. D'ailleurs je me demande s'il n'y a pas eu une certaine acceptation, à ce moment-là, au fond de la conscience de Josué, car il se sentait coupable de la mort de Norbert, son frère... Et il était rendu «au bout de son rouleau». Oui, il avait atteint son sommet, comme un soleil parvenu à son zénith. Il faudra que je lui parle de cela, un jour. Mais plus tard.

Hier, nous avons commencé par fêter le retour de mon cher Josué en mangeant de la bonne viande, comme dans le temps. Josué s'est assis dans une chaise qui se trouvait à la même place que celle dans laquelle il était assis quand Sawinne lui a planté sa fourchette dans les yeux. Rien à faire. C'est sa place depuis qu'il a succédé à Josaphat, son père...

Sawinne s'est assise devant la porte de la chambre dans laquelle on avait couché le corps de Norbert, le soir du drame, et auprès duquel elle s'était allongée, au grand scandale de Josette, la femme de Josué. Comme elle avait marché toute la journée, je lui dis de rester tranquille, et c'est moi qui ai préparé le repas, allant et venant dans la grande cuisine familiale où tant d'enfants ont soulagé leur faim pendant plus d'un siècle.

Ma chère Marielle, je ne t'ai jamais parlé de Sawinne. Il est temps que je le fasse. Comme je suis le frère de Josué, Sawinne est un peu ma nièce, puisqu'elle est sa fille bâtarde. Tout en préparant le repas, je la regardais à la dérobée, au passage. Une fraction de seconde de temps en temps. Un coup d'œil sur ses yeux, un coup d'œil sur ses cheveux, sur sa poitrine, ses hanches... Son ventre est resté plat. Tout le reste s'est légèrement arrondi, pour lui conférer cette plénitude qui donne à la jeune femme sa qualité de fruit à peine mûr que la dent veut faire gicler. Je suis désolé de t'écrire une chose pareille, au moment où, dans ton petit appartement parisien, tu regardes tes seins tomber lentement, au ralenti peut-être, mais inexorablement.

Cependant, j'ai trouvé indécent de désirer Sawinne, et j'ai repoussé le mouvement spontané de mon sang qui afflue encore, brave bête qui n'a jamais reculé devant le coup de collier.

Au moment de s'attabler, Josué s'est levé et il m'a demandé:

— Le Sacré-Cœur est toujours dans le coin?

— Oui. J'ai jamais osé l'enlever.

C'est une petite statue en plâtre représentant le «Sacré-Cœur», enfermée dans une petite niche, près du plafond, accrochée dans l'angle formé par le mur de la cuisine et celui de la chambre qui la jouxte. C'est devant cette statue et la croix de Chyniqui que toute la famille s'agenouillait pour dire le chapelet, dans les années trente et quarante... Si je prends la peine d'en parler, c'est parce qu'en ce moment, dans ma lettre, nous sommes enlacés tous les deux devant Notre-Dame, la mère spirituelle et architecturale de toutes ces statues de la chrétienté-divinité qui se dressent dans le monde et qui nous relient... parfois malgré nous... Quel sourire j'ai eu, le jour où j'ai admis que toute cette pacotille avait un sens!

Josué a refusé le bras de Sawinne pour s'approcher de la table. Sans trop d'hésitation, il trouva sa chaise au bout, tournant le dos au sud, et je fis asseoir Sawinne à l'autre bout, en face de lui. J'étais entre les deux, tournant le dos à l'ouest ou, si tu veux, à la chambre à coucher de tous les parents qui ont régné dans cette maison. J'emploie le mot «régner» à dessein, car à l'époque, nos parents étaient bons, mais on devait leur obéir sans discuter, comme à des rois.

Entre Sawinne et Josué, au moment précis où nous avons commencé à manger, je me suis senti si heureux que j'ai failli pleurer (c'eût été la première fois de ma vie...). Oui, heureux parce que soudainement je me trouvais relié à tout un monde merveilleux, un monde si riche qu'il me gonfle le cœur à le faire éclater, un monde qui me nourrit depuis ma naissance et qui ne semble pas vouloir se tarir. Alors j'ai demandé à Josué s'il avait envie de me raconter son voyage.

— As-tu vraiment le goût de repasser à travers tout ça? demanda Sawinne.

— On n'a pas grand-chose d'autre à faire, dit-il en esquissant un sourire orné de rides profondes.

Pour la première fois de ma vie je voyais un sourire d'aveugle, et je pus mesurer l'importance des yeux dans ce geste automatique de l'âme.

Alors il s'est mis à parler lentement, d'une voix devenue grave avec le temps.

— Pour commencer par le commencement y m'a fallu trois ou quatre ans pour me remettre de la mort de Norbert. J'en ai rêvé pendant des années, toutes les nuits... Ça commençait toujours de la même manière... Je me roulais dans la neige en criant parce que j'avais réussi à acheter la terre de mon voisin. J'étais le plus fort de la paroisse. Puis la neige se changeait en lait, un lac de lait où je nageais, mais tout d'un coup le lait se mettait à geler, y avait des arbres partout, et moi je plantais mon crochet dans le dos de Norbert, mon p'tit frère. Là, je montais sur mon tracteur, mais y voulait pas démarrer. Je gelais sur mon siège, dans la tempête. Là je me réveillais, seul dans mon lit, parce que Josette est partie pas longtemps après la mort de Norbert. Pour elle, c'était trop. Il faut dire qu'à partir de ces événements-là, y a eu plus de gin que de thé dans la maison.

— Moi, je trouve que Josette aurait dû rester avec toi, pour t'aider... Une vraie femme aide son mari, dans n'importe quelle circonstance, dit Sawinne.

— Peut-être, dit Josué, mais moi je la comprends en maudit d'avoir sacré son camp. À sa place, j'aurais probablement fait la même chose. Parce que j'étais devenu insupportable. Et pis, faire marcher la ferme, tout seul, sans enfants, aveugle, avec seulement un homme engagé, c'était l'enfer. J'ai vendu toutes mes vaches, mes tracteurs, pis j'ai acheté dix caisses de gin. Quand je me suis réveillé, au printemps, j'ai rien entendu dans la maison: Josette était partie. Y faisait encore plus noir qu'avant.

— Josué, y a une chose que je trouve bizarre, c'est que pendant tout ce temps-là, jamais tu as rêvé à moi, dit Sawinne avec un petit sourire qui aurait pu faire fondre n'importe quel évêque.

Pour ma part, je trouvai bizarre qu'elle l'appelle «Josué» plutôt que «papa»... Et malgré moi, je me demandai si, au cours de ce long voyage de retour, seuls tous les deux, se tenant par la main... Car il ne faut pas oublier que si Josué s'est battu avec son jeune frère Norbert à coups de crochet, c'est parce qu'il était jaloux... Oui, je sais, tu vas encore te moquer de moi, trouver que je suis obsédé par l'inceste père-fille... Dis ce que tu voudras, c'est un thème formidable, au sens premier du terme. Oui, c'est un thème qui fait peur, ou du moins qui devrait me faire peur, mais moi je n'ai peur de rien. Tu rigoles peut-être, mais ce que je veux dire par là, c'est que je ne recule devant aucune scène à écrire si je la trouve nécessaire... tu peux me mettre au défi si tu veux... Plus tard, dans une autre vie! Et le thème de l'inceste m'attire justement parce qu'il est très difficile à aborder. Devrais-je essayer de te dire pourquoi? Oui. Je ne suis pas sûr de dire les choses correctement mais je vais faire une tentative, modestement. Le sujet de l'inceste est pratiquement impossible parce que tous les hommes se disent, au fond d'eux-mêmes, qu'ils devraient être aimés de leurs filles. Les mâles sont narcissiques à un point que tu ne peux pas imaginer. «Ma fille devrait m'aimer parce qu'elle est une reproduction de ma personne. Mais si elle m'aime et que je "cède", je suis un gros méchant, je vais aller en enfer s'il y en a un...

etc.» C'est la civilisation qui a introduit cette notion de «mal» dans l'accouplement du père et de la fille. Si mes souvenirs de lecture sont corrects, il y a des gens que l'on appelle des «primitifs», c'est-à-dire non corrompus par la civilisation, qui déflorent encore leurs filles, en tout bien tout honneur. Donc, le mâle-narcisse pense que sa fille devrait le désirer, mais il a peur qu'elle le désire, et si elle ne le désire pas, parce qu'il n'est pas désirable, il en fait une jaunisse (inconsciemment). Alors il bat sa femme... Au cas où elle serait responsable de quelque chose, la femelle...

Ne t'inquiète pas, Marielle, ce n'est pas mon dernier mot sur le sujet. Même si tu préfères que je ne t'en parle plus... Ça m'amuse, parce qu'on ne sait pas trop comment finir ses phrases, quand on parle d'inceste.

Et avant de revenir à Josué qui raconte son voyage, il faut que je te dise une chose importante: à l'horloge de ma conscience, je suis en même temps avec toi, en face de Notre-Dame de Paris, et sous le pont coule la vieille rivière, emportant des tas de saletés vers le Havre, mais pas mon amour pour toi.

Je demandai à Josué:

— Sais-tu combien de temps tu as passé comme ça, seul, plus ou moins dans le *delirium tremens*?

— Un mois ou deux, à peu près... C'est le printemps qui m'a réveillé. J'ai été voir le docteur, parce que le gin m'avait endommagé la tuyauterie. Il m'a dit: «Si tu veux mourir, t'as rien qu'à continuer à boire.» J'avais pas envie de mourir. Mais là je me suis aperçu que j'avais envie en même temps de deux choses qui marchaient pas ensemble. Je pouvais pas imaginer que j'allais abandonner la ferme, mais je voulais partir à la recherche de ma fille Sawinne...

Elle lui fit un beau sourire que Josué ne pouvait voir, mais il leva la tête en direction de sa fille, comme s'il avait deviné son geste. Puis elle me regarda avec assurance, fierté, et même avec superbe, semblant vouloir me dire: «Tu vois, mon oncle, entre lui et moi, la communication se fait de façon automatique, profonde, sans passer par les sens... Nous avons atteint un degré supérieur de vie sentimentale, lui et moi...» Alors je fus encore plus perplexe sur le genre de relation «sexuelle» qu'ils auraient pu avoir ensemble. «Sexuelle» ou simplement sensuelle? Tout naturellement, je demandai à Josué:

— Mais pourquoi voulais-tu retrouver ta fille?

Pensif, il mastiqua longuement avant de répondre:

— Parce qu'elle m'avait fait mal...

— Es-tu masochiste?

— C'est possible... Tu vas peut-être rire mais, en me crevant les yeux, Sawinne me les a ouverts...

Marielle! As-tu bien entendu celle-là? Il faudrait que tu réfléchisses à la portée de cette petite phrase, avant de mourir. Car elle nous rejoint tous les deux. J'ai toujours hésité à te faire mal, plus exactement, renoncé à te faire mal, et j'ai eu tort. Je t'ai fait mal seulement en te quittant. J'aurais dû le faire avant, et alors tu m'aurais mieux connu, de sorte que notre relation aurait été plus profonde. La personne que le supplicié connaît le mieux, c'est son bourreau. As-tu songé aux révélations surprenantes qui nous seraient faites si nous pouvions poser des questions aux enfants que Gilles de Rais a torturés?

— C'est un peu difficile à expliquer, pour un gars comme moi, continua Josué, même aujourd'hui, mais ça me paraît pas clair tout à fait... L'important, dans tout ça, c'est pas la blessure physique, la fourchette dans les yeux... Même si ça fait mal en blasphème... Être aveugle aussi, c'est affreux, mais tout ça, c'est à côté du vrai problème...

À ce moment-là, il tourna légèrement la tête vers moi, comme s'il m'avait invité à mettre moi-même le doigt sur le «vrai» problème, et pour la première fois depuis son arrivée, j'eus le courage de regarder les trous de ses yeux vidés. Je me levai de table d'un seul coup de jarret, revoyant subitement les regards que nous avions échangés au cours de notre enfance. Nos communions d'autrefois étaient maintenant anéanties, et je ne parviendrais plus jamais à les faire revivre. Je fis semblant de brasser un reste de sauce sur la cuisinière, puis je revins m'asseoir en regardant Sawinne, qui avait très bien compris ce que je ressentais. Je lui en voulais, à ce moment-là, d'avoir détruit quelque chose de merveilleux, et mon regard le lui disait, mais elle me défia de ses yeux noirs, purs, brillants comme la lame du couteau qui servait à saigner les bêtes, autrefois.

— Je vais te laisser m'expliquer ce que c'était, le vrai problème, dis-je à mon frère.

— C'était moi... Plus exactement, mon ambition. Je voulais tout le rang à moi, les six fermes du P'tit Troisième. Je les ai eues. J'avais tout. Dans mon monde à moi, j'étais le roi. J'étais rendu au bout de mes désirs, excepté un. Je voulais, en plus, que Sawinne soit à personne d'autre... Pas pour qu'on couche ensemble, mais pour qu'elle soit comme une espèce de fleur que personne aurait eu le droit de toucher.

— C'est ça, dit Sawinne. Pour lui, j'étais le symbole de la pureté qu'il avait perdue. Il aurait voulu me garder comme une Sainte Vierge dans sa maison, pour le sauver... Tu comprends?

— Oui... Je comprends très bien ce besoin de pureté, dis-je...

Alors Sawinne éclata d'un rire cristallin, très pur, mais en même temps chargé d'une sensualité qui me fit presque mal. Et elle dit, avec une moue qui avait quelque chose de pervers:

— La pureté vous a rendus malades dans la famille...

— Tu crois?

— J'en suis sûre... Parce que vous pensez que le sexe est quelque chose de sale...

Nouveau rire cristallin, sortant des lèvres rouges et de la langue agile. Josué ne releva rien de ce que sa fille avait dit. Attaché au fil de son idée, il continua:

— Le vrai problème, c'était moi, comme je viens de te le dire. Et en me crevant les yeux, Sawinne a fait que je me suis vu tel que j'étais: un homme rendu au bout de son rouleau... Mais être rendu au bout de son rouleau, pour un homme, c'est grave. Ça veut dire qu'il a dépassé les bornes...

Ici, Marielle, je voudrais noter en passant que la remarque de Sawinne à propos de la «saleté» du sexe, tel que vu par notre famille, n'a rien de très original. À ce propos, ma famille était comme la plupart des autres familles québécoises avant les années soixante. N'importe quel «psycho-socio» pourrait te le dire. Et je trouve très bien que Josué n'ait pas pris la peine de le relever. (Toutefois, si on va fouiller du côté de l'Islam, on trouve d'autres surprises...)

Je voudrais plutôt te parler de nos relations à nous deux, en rapport avec celles de Josué et Sawinne, puis en rapport avec ton mariage avec Jean-Pierre. Devenu roi des cultivateurs de son coin, c'est-à-dire au faîte de sa puissance, Josué veut en plus sa fille bâtarde à lui tout seul. Pourtant, il a une femme qu'il aime et qui l'aime. Entre eux, c'est l'harmonie presque parfaite. Sa femme est une belle terre mais une terre polluée. Sawinne est une terre vierge, une jungle qu'il veut pour lui tout seul. Est-ce pour la posséder sexuellement, juste avant de mourir? Cette option de romancier me plairait assez. Mais je ne suis pas sûr que ce soit juste, dans le cas de Josué. Sawinne est pour lui un symbole de pureté extraordinaire, et je crois qu'il voudrait, de façon plus ou moins consciente, la préserver contre tout ce qu'il a dû faire de plus ou moins propre pour arriver à ses fins. Or en se donnant à un homme, elle devient une femme ordinaire, elle cesse d'être un symbole. Voilà qui nous éloigne de l'inceste il me semble!

Pour continuer mon parallèle, venons-en à tes relations avec Jean-Pierre, ton cher mari. Moralement et intellectuellement, il te possédait de façon si totale que tu étais incapable de toucher à un autre homme. Même si tu le désirais! Même quand il ne couchait plus avec toi! Volontairement, tu faisais de toi-même une espèce de Sawinne qui se garde intacte pour son mari, un mari qui, à l'âge de Jean-Pierre, a des allures de père pour une femme encore bien conservée, comme tu l'étais à l'époque. Il y a là quelque chose qui me trouble profondément. Jean-Pierre savait-il qu'il te possédait à ce point? Ou encore le faisait-il volontairement, en agissant sur ta volonté? Si oui, c'était un beau salaud. Et cette attitude est aussi incestueuse que celle de Josué envers Sawinne...

Pardonne-moi de ternir l'image de ton mari, le grand cinéaste qui a connu le succès mais non la gloire. Ça ne change rien à rien, puisqu'il est mort...

Puis je suis arrivé dans ta vie, par la porte

d'en arrière, pour ainsi dire. Il ne s'agit pas d'une grivoiserie, chère Marielle, mais d'une figure de style toute bête. Tant que le mari n'est pas mort, l'amant est toujours obligé, d'une manière ou d'une autre, de passer par la ruelle... Je n'ai pas porté sur toi le même regard que Jean-Pierre. Lui, il a vu ton corps d'abord, puis le reste: âme, cœur, intelligence. Et il a d'abord désiré ton corps, ce qui est le processus le plus commun dans les relations ordinaires entre hommes et femmes. Moi, je crois pouvoir affirmer que je t'ai perçue d'un seul coup, tout entière, un peu comme certains hommes perçoivent la réalité d'une façon totale. Ce qui n'est pas facile mais qui procure un bonheur certain et sans mélange.

Sans doute me faudra-t-il beaucoup de temps et de paraphrases pour arriver à expliquer ce que je viens de te dire, mais je ne désespère pas... Cette lettre pourrait bien être longue, puisque c'est la dernière. Pour l'instant, je me contenterai de préciser que c'est à cause de cette «perception» qu'il y a toujours eu un malentendu entre nous, c'est-à-dire que tu as cru et que tu crois encore que je ne t'aime pas vraiment.

La vieille rivière coule sous le petit pont, je te tiens encore dans mes bras et Josué parle:

— C'est pour ça que j'ai voulu retrouver Sawinne... pour lui dire que j'avais compris...

Elle souriait, Sawinne, et elle lui demanda:

— Il t'a fallu combien de temps pour comprendre, Josué?

— Oh! Quelques années... J'ai eu le temps de vendre mes vaches, de vieillir, de m'habituer à voir sans yeux... Parce que, pour commencer, il a fallu que j'accepte d'être aveugle, ce qui voulait dire de ne plus être Josué le champion, le premier. Et ça, pour moi, c'était comme une espèce de mort...

— Oui, une pré-mort, dis-je...

— C'est ça... Mais, tu sais, quand on voit rien autour de soi, on voit tout ce qu'on a en dedans... Pis on finit par comprendre.

Sawinne dit:

— C'est drôle comme effet, hein? Moi, quand je t'ai crevé les yeux, j'ai pensé à rien. J'ai agi par instinct... Je savais que je faisais quelque chose d'important, mais jamais je n'aurais cru que les conséquences de mon geste pouvaient être aussi importantes.

Même si elle s'adressait à Josué, Sawinne me regardait en parlant, et il y avait quelque chose, sur son visage, que je n'arrivais pas à définir. C'était cette pureté qu'elle avait dans les yeux à l'âge de quinze ans, pureté qui existait encore malgré sa maturité. Qu'avait-elle «fait de son corps», comme le disait notre père Josaphat depuis la mort de Norbert? Passant du coq à l'âne, je ne pus m'empêcher de lui demander:

— T'as jamais eu envie de te marier, Sawinne?

Elle s'arrêta de manger, devint grave comme une adolescente qui se prépare à commettre un crime, posa sa main sur la mienne, puis elle me dit:

— Personne ne m'a touchée depuis que Norbert est mort.

Lentement, je retirai ma main parce qu'elle me brûlait la peau, m'allumait, alors que je me voulais de glace.

— Tu crois cela, toi? demandai-je à Josué.

— Sawinne est capable de tuer, mais elle est incapable de mentir, dit Josué en se tournant vers moi, comme s'il avait pu me voir.

— Ça c'est vrai, ajouta Sawinne et sur son visage il y avait ce demi-sourire qui la rendait irrésistible, parce qu'il était nourri de défi.

Marielle, il faut que je te dise une chose tout de suite: je me sens devenir «personnage», moi aussi! Et je crois que je vais faire des choses bizarres d'ici la fin de ma lettre. C'est fou! Quand je pense qu'au départ, je voulais seulement te parler d'amour... Comme un vieillard qui a l'impression d'avoir une certaine expérience!

La nuit était tombée depuis longtemps lorsque nous nous sommes levés de table. C'était un beau soir d'octobre, avec des étoiles et une odeur de l'ancien temps. Josué alla ouvrir la porte et il aspira l'air, profondément.

— Ça sent la grosse gerbe, dit-il.

Nous sommes restés tous les deux accrochés un long moment à ce souvenir qui nous venait de Josaphat, notre père. Une toute petite lueur dans le temps et l'espace. C'était au début des années quarante, avant même l'arrivée du tracteur. Josaphat rangeait les gerbes de blé que nous lui lancions dans le «rack» de la «wonguine» (voiture). On était à la fin de septembre et le temps des récoltes achevait. Alors il nous avait raconté qu'autrefois, avant même «son temps» à lui, quand on engrangeait le dernier chargement de blé, on faisait une fête qui s'appelait «la fête de la grosse gerbe». Quelques familles réunies dansaient, accompagnées d'un violon, et buvaient sans doute un alcool de leur cru.

Hier soir, Josué et moi, nous sentions tous les deux le poids de ce «merci» à la terre qui, ayant donné ses fruits, se replie sur elle-même, apaisée comme la femme qui a réussi à bouter son enfant dehors sans en crever. Pendant que Sawinne nous regardait avec une apparente impassibilité, nous revivions ces rares moments de plénitude que nous avions goûtés au cours des automnes que nos enfances avaient traversés. La fin des récoltes, au milieu d'octobre, alors que le ciel nocturne nous appelait vers les hauteurs en se criblant d'étoiles, avait quelque chose de prenant comme le hurlement lointain d'un loup; car les bêtes, parfois, lancent vers le ciel un cri de détresse qui est aussi un avertissement aux hommes: l'hiver approche, et ce sera la fin des vivants, un jour ou l'autre...

Or tout cela était relié au froment, au pain, et je me disais qu'au temps de mon père Josaphat, dans le Bas-du-Fleuve, la vie à la campagne était presque aussi manuelle qu'à l'époque où on bâtissait Notre-Dame de Paris devant laquelle je te tiens encore dans mes bras, parce que je retarde mon départ le plus possible, ayant peur de te faire mal et sachant que tu vas pleurer. Pour la centième fois tu me demandes:

— Tu m'aimes?

— Oui.

— Menteur! Menteur! Tu me fais mal, c'est tout...

Comment t'expliquer que ce n'est pas moi qui te fais mal, mais toi-même, qui refuses de puiser en ton âme les raisons de vivre, et d'accepter que le flétrissement de la chair est le lot de tous les vivants. Ce que je te dis là est rattaché à ce que je racontais tout à l'heure à propos de l'automne et des récoltes, de la nature fatiguée qui se prépare à se mettre au lit en octobre, qui se replie lentement sur elle-même avant l'hiver. Josué et moi, avec notre père Josaphat, nous avons souvent, fin septembre début octobre, engrangé de l'avoine ou du blé, le soir au clair de lune, dans l'air frais, sous le ciel pur. C'était un moment de récompense après la fatigue, la peine du labeur, ce que les Grecs ont appelé la «pònos», le travail qui fait durcir les muscles, épaissir les ongles et la peau des mains. Figure-toi que le mot «pònos» est le même qui décrit le travail de la femme en couches! Or j'ai toujours associé l'automne à la période qui suit l'accouchement de la femme... Ce qui n'est pas forcément le comble de l'originalité mais enfin...

Et toi, ma chère Marielle, tu es maintenant une femme qui a accouché de tout ce qu'il y avait en elle. En toi, il ne reste plus que cette rage de me posséder, avec tes mains, tes yeux, ta volonté et tout le reste. Malheureusement, ton mari est parti trop vite. Vous n'avez pas eu le temps d'apprendre, par une longue vie commune, ce qu'est l'amour. Le vrai...

Je t'embrasse, tu trembles, mais je suis quand même décidé à partir.

Après avoir aspiré l'air frais de la nuit et admiré les étoiles avec Josué, je me suis retourné et j'ai vu le regard de Sawinne accroché à nos deux corps se mouvant dans la cuisine. Alors je fus frappé par une certitude qui me donna froid dans le dos: dans les yeux de cette femme superbe, il y avait un germe d'aporie! Oui, il me parut évident que Sawinne, un jour ou l'autre, allait laisser dérailler son esprit, enfourcher la jument du délire et devenir une Médée qui dévore ses enfants. Au risque de t'agacer, je te dirai que c'était justement ce qui la rendait si attirante... au fait, irrésistible. Je venais tout juste de saisir un autre aspect de son âme, volcan que j'entendais gronder depuis longtemps, et je savourais cette petite gâterie comme on se délectait d'une orange, à Noël, durant mon enfance.

Comme il l'avait fait pour s'approcher de la table, Josué refusa le bras de Sawinne pour aller dans sa chambre. Il avait cet espace-là dans le sang, si je puis dire. Alors Sawinne se tourna vers moi, me sourit doucement, avec la plénitude et l'aisance du félin qui s'allonge par terre.

— Bonne nuit. Moi, j'ai besoin de dormir, dit-elle en laissant couler un long bâillement.

— Bonne nuit, beaux yeux...

— T'es pas obligé de me faire des compliments, mon oncle. Surtout pas un compliment aussi plat.

— Justement. Comme c'est un vieux compliment éculé, il n'est pas dangereux.

Elle eut un petit rire fatigué, puis elle répliqua:

— Le danger, c'est pas ça qui me fait peur.

— Est-ce qu'il y a quelque chose qui te fait peur?

— La bêtise, oui... À part ça...

Elle leva la main dans un geste que l'on traduit par «pfuit», puis elle me tourna le dos et s'engagea dans l'escalier. Josué ronflait déjà. J'éteignis les lumières avant de monter les vieilles marches qui craquent, comme dans le temps... Quand je fus dans mon lit, je m'aperçus que le hasard était un metteur en scène assez terrible: j'étais dans la chambre où couchait Norbert, avant sa mort, et Sawinne était couchée dans la chambre voisine, porte ouverte, comme autrefois, quand elle était innocente, ou quand elle «communiait» avec Norbert...

Tout était en place pour un autre drame. Mais je n'avais pas peur, moi non plus. Sans doute à cause de mon âge, et surtout à cause de la raison pour laquelle je t'ai quittée, ma chère Marielle. Avant de m'endormir, j'écoutai la respiration lente et facile de Sawinne. Une respiration qui exprimait la santé, le bonheur du corps et la satisfaction de l'âme. En faisant un petit effort, je parvins à ne pas être jaloux de son âge.

À l'aube, j'entendis Josué se lever, faire le tour de la cuisine avant d'aller aux toilettes. Je le rejoignis et nous sortîmes pour aller marcher dans le «rang». Bientôt, deux ou trois tracteurs arrivèrent, déchirant l'air de leurs bruits. Josué s'arrêta pour écouter et identifier les machines.

— C'est un gros Case International, ça?

— Oui.

— Il vient labourer les terres «noères»?

— Oui.

Josué avait loué toute sa terre à deux ou trois autres cultivateurs qui l'exploitaient à sa place. Je le regardais, essayant de déceler les marques de souffrance morale sur son visage. Mais les trous, à la place des yeux, masquaient tout le reste, engloutissaient les sentiments, si je puis dire. Josué avait l'air impassible. Pourtant, cet espace où nous avions passé notre enfance était violé.

— Ça te fait rien, de pas être sur le tracteur à sa place?

— Qu'est-ce que tu veux que ça me fasse? À moi tout seul, j'ai vécu deux ou trois vies de cultivateur ordinaire. J'ai eu mon compte. À c't'heure, tout est fini...

Et tout à coup il me vint à l'esprit que nous étions justement dans ce chemin que Norbert avait emprunté, derrière son taureau, pour partir vers l'île de Crète... Nous étions aussi dans le même chemin où nous marchions, étant jeunes, pour aller à l'école et à l'église... Josué avait emprunté ce même chemin pour se mettre en marche vers Rimouski puis vers Québec, trente ans plus tôt, pour aller se battre sur les plaines d'Abraham, tuer Isabelle après avoir tué son gros taureau devant l'église. Enfin, toujours dans le même chemin, il s'était mis en marche deux ans plus tôt, seul et aveugle, en route vers Sawinne, sans savoir où elle était. Nous étions tellement sur la même longueur d'onde tous les deux qu'il dit:

— On en a usé, des pichous, sur ce chemin-là, hein?

— Oui... On a toujours eu un appétit féroce pour l'espace... Toi, quand tu es parti pour aller retrouver Sawinne, comment c'était?

Avant de répondre, Josué écouta le ronron du tracteur qui venait de commencer à ouvrir le premier sillon, traînant la charrue qui fendait la belle terre noire, riche, humus que l'on a envie de pétrir. Alors, au frémissement de son visage, je vis qu'il sentait, comme moi, au fond de sa chair, toute la symbolique de cette ouverture pratiquée dans le ventre de notre «mère». Mais, cela aussi, c'était un peu comme une vieille photo que l'on regarde et que l'on replace dans le tiroir d'un geste neutre. Puis il commença à parler:

— C'était comme toutes les fois qu'on part: inquiétant, exaltant, effrayant, émouvant... Mais en plus, cette fois-là, qui était la dernière pour moi, je le savais dans ma peau, c'était grave parce que j'avais l'impression de faire quelque chose qui m'appartenait pas... Je sais pas trop comment t'expliquer ça... J'avais l'impression de partir pour quelqu'un d'autre, tu comprends? Je serai probablement jamais capable de te l'expliquer comme il faut, mais je me demande si c'est pas parce que Sawinne m'avait crevé les yeux, justement. Dans le fond, je suis pas mal sûr que ça ressemble au voyage de Norbert et de son p'tit beu. Lui non plus, il savait pas où il s'en allait, mais il savait qu'il fallait y aller.

— Oui, tout ça se tient... C'est raccroché au voyage de Norbert, comme un wagon à un train... Et c'est la même locomotive qui nous tire, toute la famille...

— En tout cas, le plus drôle, c'est que j'avais l'impression d'être un autre homme, quand je suis parti...

Marielle! Est-ce que ce n'est pas merveilleux? Josué ne savait pas qu'il était devenu Œdipe après avoir été Thésée, pourtant il sentait bien qu'il n'était plus le même! Mais, attention, je vais me séparer de toi au moment même de son départ. Josué dit:

— Comme tu le sais, je suis parti au mois de septembre, quand la rosée du matin mouille les bottes jusqu'à onze heures. Je suis parti à pied, tout seul, avec une canne blanche. Je savais que je pouvais aller jusqu'au village sans aide. Je suis parti à pied pour aller plus lentement, parce que j'étais pas sûr que j'allais revenir un jour... Passer dans le P'tit Troisième, comme on est en train de le faire, ç'a été un déchirement épouvantable. J'ai eu l'impression de voir mourir mon père et ma mère une deuxième fois... Je savais que j'étais attaché à ma terre, mais jamais j'aurais cru que c'était à ce point-là... Ça m'a fait comprendre Josaphat, notre père, quand il venait faire son tour un peu avant de mourir. Il s'accotait à la clôture, il regardait le foin pousser, pis on aurait dit qu'il pleurait par en dedans, parce qu'il était plus capable de cultiver lui-même. Une vraie femme, la terre qu'on laboure. Il paraît que les poètes disent des choses de ce genre-là...

Marielle, Josué est un peu poète, à sa manière, et dans son histoire, il part. Alors je fais de même, comme si je le suivais... Pour te consoler, car tes larmes et les secousses de ton corps sont pitoyables, je vais te parler d'une chose que je trouve belle: associer le mot «voir» au mot «jamais». Tu ne me verras plus jamais, et cette idée provoque chez toi une espèce de révolte profonde, comme si tu étais victime des dieux. C'est m'accorder beaucoup d'importance. Je ne te verrai plus jamais, et cela m'attriste, mais je n'y peux rien, et je l'accepte. Je ne pars pas pour aller m'amuser avec une femme plus jeune que toi. Donc, sous ce rapport, je peux avoir la conscience en paix. Encore que... Veux-tu que je te dise une chose que tu vas trouver bien cruelle? Même si je partais pour aller retrouver une femme plus jeune que toi, avec laquelle je pourrais me sentir «viril» encore pendant dix ans, ce qui serait extrêmement plus dur pour toi, même dans ce cas, je crois que j'aurais la conscience tranquille. Pourquoi? Parce que ce serait mon lot, la part que le destin m'aurait donnée avant... de me faire enterrer comme tout le monde. Et on n'a pas le droit d'être jaloux du lot des autres.

Donc, «voir» et «jamais»... Aveugle, Josué ne voit jamais rien, depuis une quinzaine d'années. Pourtant, il a fait un voyage extraordinaire. Toi, tu peux chaque matin faire ta promenade sur le Quai des Grands Augustins et regarder «la vieille basilique». C'est une consolation comme une autre, mais je dirai tout de suite, assez méchamment, que je préfère avoir mes «vieilles basiliques» au fond de l'âme. Et c'est avec un souvenir de lecture que je vais te laisser. Oui, deux vers de Milosz, le poète qui, selon moi, a le mieux fait chanter ces deux mots juxtaposés: voir et jamais.

«Je ne verrai très probablement jamais
ni la mer ni les tombes de Lofoten...
Et pourtant c'est en moi comme si j'aimais
Ce lointain coin de terre et toute sa peine.»

Avoir la nostalgie du cimetière où l'on ne sera pas enterré... Un cimetière qui se trouve loin, très loin, au pays natal que l'on a quitté, et où l'on ne retournera jamais... Il me semble qu'il y a là quelque chose d'essentiel, d'un peu moins folichon que certaines rimes plus payantes, parce que chantées...

Toujours est-il que c'est à cela que je pense, au moment de te donner le dernier baiser, parce que ces vers me collent à la peau depuis des années, et surtout, il faut que je te le rappelle car tu l'as probablement oublié, je t'ai cité ces quelques vers le jour où tu m'as appris que Jean-Pierre, ton mari, était mourant. Je t'en ai parlé comme d'une chose tellement belle qu'elle peut soulager la souffrance morale, ce déchirement du cœur qui donne mal aux fibres nerveuses. Toutefois, il était quand même amusant de te voir pleurer la future mort de ton mari dans mes bras... Même si tu étais sincère! Là-dessus, je n'ai aucun doute. Mais, puisque c'est moi que tu aimes, aujourd'hui (plus que ton défunt mari, à ce que je vois...), ces quatre vers du grand poète ont vraiment leur place ici. Fais-les glisser, couler en toi, comme un liquide magique, souvent, plusieurs fois par jour. Viendra un moment où le désespoir qu'ils suggèrent prendra la place de ta peine, un peu comme un coureur le fait dans la course de relais...

Voilà, c'est le moment. Je trouve que notre «moment» de séparation a assez duré. Je te presse contre moi une dernière fois, puis je me recule. La douleur t'enlaidit. Tu trembles. Tes mains ridées cherchent à me retenir en frémissant, et je déteste ces larmes qui ne peuvent pas me faire changer d'idée.

— Salut, ma grande...

Trop pompeux, le mot «adieu» ne fait pas partie de mon vocabulaire. Tu ne dis rien. Seulement mon nom que tu répètes comme une litanie qui n'aurait aucune force incantatoire. Alors je te dis:

— Va... Tourne-toi et vas-y...

Mais tu ne bouges pas! Tu pleures, figée sur place, hébétée par la douleur. C'est exaspérant.

— Va-t'en!

Pour sauver le noyé, il faut souvent lui asséner un bon coup de poing. Ça y est, nos mains ne se touchent plus. Tu recules, puis tu te retournes. Te voilà de dos, minuscule, titubante comme le boxeur qui a reçu le coup de grâce, et tu marches vers le quai où les vieilles boîtes vertes des bouquinistes contiennent des milliers de livres qui parlent d'amour. Mais toi, tu es le livre d'amour vivant qui s'éloigne lui-même de son lecteur, pour aller se cacher au fond d'un vieux tiroir. Je t'en prie, retourne-toi, afin que ma main puisse te dire que, moi aussi, je souffre de notre séparation. Ça y est! Tu me jettes un dernier regard, et comme tu es loin, je peux laisser couler une larme sur ma joue, pendant que mon bras s'agite, essayant de te dire ce que mes lèvres t'ont caché, tout l'amour que j'ai de toi, au moment où tu vas t'enfermer pour laisser couler ton dernier soupir.

Et c'est maintenant que les mots «jamais» et «voir» cognent dans ma tête, enfonçant les clous du cercueil vers lequel je suis en marche depuis si longtemps.

Au village de Saint-Anaclet, Josué alla faire un tour sur la place de l'église, où il avait créé tout un émoi une quarantaine d'années plus tôt. Du bout de sa canne, il trouva les marches du parvis, puis il alla se placer, de mémoire, entre le cimetière et l'église, à gauche. C'est là qu'il se tenait, au moment du grand jour, attendant que l'on sorte avec le cercueil de Philippe pour aller le porter en terre. Son troupeau de vaches était dans la cour, en face de lui, avec le gros taureau qui s'impatientait. La cloche a tinté, tristement, puis la porte de l'église s'est ouverte. Les porteurs étaient là, de chaque côté du cercueil, avec le prêtre et son eau bénite. Alors il a épaulé sa carabine et le bruit de la détonation a pris la place du tintement. Philippe s'était suicidé, de désespoir, le jour où son treizième enfant était né. Il fallait faire quelque chose pour réveiller la province aux misères du Bas-du-Fleuve. Josué avait trouvé un grelot merveilleux: il avait décidé de tuer son troupeau de vaches en face de l'église. Trente belles Holstein! L'une après l'autre, ce matin-là, par un beau soleil, elles reçurent une balle dans la tête et s'écroulèrent en bavant de surprise. Toute la foule des paroissiens était muette, figée dans l'horreur de ce geste démentiel que chacun mit beaucoup de temps à comprendre.

— Mais le plus terrible, dit Josué, le plus terrible — aujourd'hui je serais porté à dire le plus beau... c'est quand est venu le temps de mon dernier coup. Mon gros taureau... Là, j'ai manqué pas être capable... Mais il le fallait. Je pouvais pas faire les choses à moitié. Parce qu'un taureau tout seul, sans vaches, ça veut rien dire... Ça fait que je l'ai ajusté comme il faut dans ma mire, juste entre les deux cornes, sur la belle touffe de poils, puis j'ai tiré. J'ai senti, à ce moment-là, que tout le monde avait le souffle coupé, parce que c'était le plus beau taureau de toute la paroisse... Il a eu un petit mouvement de la tête, comme une surprise, puis il est tombé sur ses genoux, et le sang a coulé de son mufle quand il a touché la terre. Sur le perron de l'église, j'ai entendu pleurer, et c'était pas à cause de Philippe. Mais moi, j'ai pas pleuré. Je me sentais vide...

• • •

Voilà, ma chère Marielle, pour Josué, le temps d'une grande bataille est arrivé, et pour toi aussi, comme pour moi. Car maintenant tu es à Montréal. Reculons dans le temps. C'est la bataille de la carrière pour nous tous. De la construction. Nous avons l'âge de faire des enfants, de fonder un foyer, de courir à droite et à gauche. Nous avons l'âge de croire que tout va toujours durer, que les autres n'existent pas. Il y a un but, il faut l'atteindre.

Nous faisons l'amour tous les deux, mais dans quelques mois j'assisterai à ton mariage avec Jean-Pierre. Quel beau feu nous ronge, mon amour! Il faudra bien, un jour, que tu racontes tout cela à tes enfants. Tu n'as pas encore trente ans. Jeune avocate, tu viens d'entrer dans un bureau où trois hommes ayant passé par la même faculté que toi, des avocats plus ou moins véreux (te souviens-tu du beau jeu de mots de Cicéron, ton patron en plaidoirie: *Et factus est verres?*), te font la vie dure et douce à la fois. Pas de concession dans l'exercice du métier! Ce qui ne les empêche pas de vouloir te mettre la main aux fesses... Mais tu les désarmes en te moquant d'eux gentiment, et comme ils sont plus ambitieux que «mâles», ils te laissent aller, c'est-à-dire que tu leur glisses entre les mains comme une truite à la peau trop douce...

Voilà ce que tu me racontes, la tête sur l'oreiller, avec ma main sur ta hanche nue, encore imprégnée de tes sucs, attentive aux dernières vagues de frémissements qui viennent mourir au creux de l'aine chaude. Puis notre horloge intérieure sonne trois grands coups et nous sautons à bas du lit. Vite, il faut retourner au boulot! Il faut livrer bataille, tout bêtement parce que nous avons des forces à dépenser... Je reviendrai, ma belle Marielle de trente ans, sur la futilité de nos activités «importantes»...

À Rimouski, Josué passa de longues minutes aux alentours de la cathédrale, se souvenant du jour où il s'était trouvé là, après avoir abattu son troupeau, se préparant à la longue marche sur Québec, avec des fusils et des fourches. Avec Isabelle, Lucien le fonctionnaire et un autre dont il avait oublié le nom, il s'était trouvé à la tête de cette armée de pouilleux qui auraient pu sortir d'un vieux film russe.

— Mais tu sais, aujourd'hui, je me demande si à ce moment-là, devant la cathédrale, je pensais plus à nos revendications qu'à la bouche d'Isabelle. Quand je dis la bouche, je pense à tout le reste, tu peux ben l'imaginer...

— Oui, oui... C'est normal, tous les révolutionnaires sont des sacrés baiseurs...

J'éclatai de rire, ayant dit une «follerie» pour le distraire un peu, car à cause de son âge et de son passé, Josué se prenait forcément au sérieux, sans pour autant faire dans la pédanterie... Mais il n'eut pas l'ombre d'un sourire. Il restait là, amarré à son souvenir ou, plus exactement, le tenant précieusement sur son cœur, comme un enfant réchappé de la mort. Il fallait bien que je me rende à l'évidence: mon frère avait vécu cent fois plus que moi, malgré toute mon excitation citadine! Il finit par dire:

— Quand on était fatigués de marcher, tu sais ce qu'on chantait, pour se donner du courage?

— Des chansons cochonnes, évidemment...

— Pas tout à fait... Du folklore grivois, mais pas cochon:

«Maudite terre,
Maudit pays!
On t'aime en calvaire
Maudite terre,
Maudit pays,
On t'aime en hostie!»

— C'est moi qui avais inventé les paroles, comme ça, pour dire qu'on était dans la misère mais qu'on était prêts à mourir pour la terre qui était trop maigre...

Je n'avais pas de commentaire à faire. J'étais ému, malgré moi. Avec sa franchise et sa simplicité, Josué parvenait toujours à m'atteindre.

Il me raconta qu'il s'était rendu à Québec en autobus, tout en se remémorant les étapes de leur longue et douloureuse marche. Mais à ma grande surprise, il ne me parla pas du désastre que fut leur rencontre avec le Premier ministre sur les plaines d'Abraham. Tous ces morts, dont il était partiellement responsable, avec Isabelle et Lucien, c'était comme s'il les avait enfouis au fond de son inconscient.

À Québec, il loua les services d'une guide touristique, et il se fit conduire dans les rues avoisinant la Citadelle. C'était là qu'Isabelle avait sa chambre, et c'était là qu'il avait fait l'amour, le soir après la tuerie.

— Mon p'tit frère, je peux te dire que ç'a été la fois de ma vie... Isabelle, c'était une drôle de pouliche... À part de ça, je sais pas pourquoi mais je me demande si le fait qu'on avait passé la journée à baigner dans le sang, pour ainsi dire, ça donnait pas du punch à notre gymnastique... Mais j'ai jamais pu oublier le moment où elle m'a demandé de la tuer, parce que pour elle, tout était fini. Le plus drôle, c'est que j'ai compris, moi, un pauvre ti-cul sans instruction, qu'elle avait raison, et j'ai dit oui... J'ai dit oui au moment où je la tenais par la saignée des genoux, accroupi devant elle. Même au cinéma, j'ai jamais vu une chose pareille. Isabelle avait l'air d'une chienne malade, mais en même temps elle était comme une sainte. En tout cas, c'est une image qui m'est revenue des années plus tard, quand j'ai sorti Marcellin de sous son tracteur, mort, la poitrine écrasée par son volant... parce que je le tenais de la même manière... C'est drôle, hein, comment on peut associer des choses, comme ça...

Et moi, Marielle, je pensais à la vanité de nos petites carrières citadines... Peu importe que tu aies été avocate, institutrice, secrétaire ou pute.

Pour moi, ce qui compte, c'est le regard que tu poses sur la réalité. Ta lutte pour te tailler une place «honorable» dans ce panier de crabes n'est pas plus noble que le labeur (pònos) de Josué. Mais j'aimais le regard que tu posais sur Jean-Pierre, quand tu lui servais un verre, quand tu lui demandais de te frictionner le dos, et surtout quand, jeune mère, tu le regardais avec ton premier enfant dans les bras, tout en pensant à ton plaidoyer du lendemain. Je t'aimais beaucoup, à ce moment-là, parce que je savais que pour toi, au fond, ton plaidoyer n'avait pas tellement d'importance.

Après avoir respiré l'air des vieilles rues autour de la Citadelle de Québec, Josué se fit conduire sur les plaines d'Abraham et, en donnant des indications précises à la jeune fille, il finit par avoir la certitude qu'il se trouvait à l'endroit exact où, plusieurs années plus tôt, il avait tiré une balle dans la tête d'Isabelle.

— J'étais là, debout, appuyé sur ma canne blanche, sans bouger. Une bonne demi-heure, je pense ben, comme un mort debout... La jeune donzelle se demandait ce qui se passait, tournait autour de moi. Je lui ai dit de pas bouger, parce que je voulais voir quelque chose de beau. J'ai senti qu'elle me pensait fou... Mais ça fait rien. Isabelle me mettait la carabine dans les mains, puis elle me disait: «Tu vois, la lumière du lampadaire, là-bas... Je vais aller dans le noir, puis rentrer dans la zone lumineuse, quand tu vas me voir arriver, tire...» Il paraît qu'il y a des poètes, dans l'ancien temps, qui ont écrit des tragédies, des choses terribles... Moi, je pense que, à ce moment-là, j'ai vécu quelque chose de terriblement beau.

— Oui, Josué, t'as raison... Beau et terrible, c'est ça qui est extraordinaire... Mais dis-moi une chose. T'as jamais douté du fait qu'il fallait que tu la tues, comme elle te le demandait?

— Non... Tu vas trouver ça drôle mais, non, pas une seconde... Parce qu'Isabelle et moi, on respirait au même rythme. En faisant ça, on savait, tous les deux, qu'on faisait quelque chose qui dépassait tout ce que le monde fait ordinairement. On avait la certitude de dépasser notre nature d'homme et de femme.

Or pendant ce temps-là, ma chère Marielle, tu te lèves devant le juge et tu dis avec emphase: «Votre Honneur, nous avons maintenant la preuve que cet homme a battu sa femme! C'est une honte pour la race humaine!» Et tu le fais condamner... Avec raison, bien sûr... Mais je crois quand même qu'il y a des situations où la loi ne peut pas s'appliquer, parce que les personnages en présence ne sont plus des humains.

— Y a une chose, par exemple, poursuivit Josué, que j'ai jamais comprise: comment ça se fait qu'en visant Isabelle, une si belle femme, en plein front, j'ai tellement pensé à mon taureau?

— Parce que les extrêmes se rejoignent, peut-être... dis-je sans trop réfléchir.

Nous avions fait demi-tour et marchions vers la maison, silencieux depuis un moment après ma réponse trop rapide. J'étais en train de me dire que la question de Josué était plus ou moins futile: il y avait une ressemblance, dans le geste, que ce soit envers le taureau ou envers sa «belle révolutionnaire». C'était tout simple! Oui, c'était simple, ma chère Marielle, mais ce n'était pas exactement là que se cachait la vérité. Et c'est en repensant à Thésée que je trouvai la réponse à sa question. En assassinant son taureau, Josué se tuait lui-même! Voilà pourquoi ce moment avait été si chargé d'émotion. Et Isabelle? La même chose, ma chérie! Isabelle était un *alter ego* pour Josué. Elle était lui-même au féminin. Et leur séance d'amour physique a été merveilleuse justement parce que les deux personnages ont vécu, en se possédant l'un l'autre, un moment de narcissisme extraordinaire. Alors tu me demandes, haussant le ton:

— Oui, mais quel rapport cela peut-il avoir avec moi!?

Un rapport direct, ma chère... Pour fonder ton foyer, tu m'as préféré Jean-Pierre. Toi, la femme forte, tu as voulu un homme fort pour mari. C'est le même phénomène. Jean-Pierre était le «bâtisseur», le Thésée avec qui tu allais construire ta famille et ta carrière emmêlée à la sienne. Mais je maintiens toujours qu'il est important de juxtaposer cette période de ta vie à ce moment où Josué se souvient, sur les plaines d'Abraham, d'avoir logé une balle de carabine dans le front d'Isabelle, tout en pensant à son taureau. Oui, pour bien voir la vanité de tout ce que l'on fait. Car tout est dans la manière... Il faudra que je revienne là-dessus, au risque de me répéter (il faut dire que me répéter dans cette lettre, ne me fait ni chaud ni froid. Car je t'écris comme les jours passent, et il y en a des milliers qui se ressemblent, ou qui sont bêtement identiques, comme les séances de baisage...).

À la maison, ça sentait bon! Le pain grillé, les œufs, le bacon! Je fus heureux de me trouver tout à coup dans une atmosphère familiale, moi qui vivais seul depuis des années. Mais ce moment de surprise passé, ce qui accapara toute mon attention, ce fut l'attitude de Sawinne, ou son «jeu». J'ose parler de «jeu», même dans son cas, elle, la droiture même, la vérité pure, car il y a aussi une certaine vérité dans le jeu, sans remonter jusqu'au célèbre *Paradoxe sur le comédien* du brillant Diderot. Tu auras le temps de réfléchir à tout ça dans quelques années, quand tu auras fini de t'énerver et que tu seras installée dans ta boutique d'antiquaire, Quai des Grands Augustins...

Elle avait relevé sa lourde chevelure au moyen d'un bandeau blanc, et elle marchait dans la cuisine avec l'assurance et la tranquillité de la femme qui est chez elle, dans ses meubles, depuis toujours. Pourtant, elle était arrivée la veille seulement, et elle n'était pas l'épouse de cette maison qui était totalement orpheline, privée de famille, abandonnée à des mâles depuis si longtemps... Eh! Oui! Sawinne, comme ses ancêtres autochtones, mettait les pieds quelque part et se trouvait chez elle... Sawinne s'appropriait l'espace, comme un chat ou un chien, et au moment où j'ouvris la bouche pour enfourner une bouchée de bacon accompagné de jaune d'œuf, la vérité toute nue me frappa au front: si elle était à ce point chez elle, nous allions devoir disparaître, Josué et moi... En réalité, je le savais bien, mais il me faisait plaisir de me jouer à moi-même cette surprise, un peu comme tu le fais, toi, quand tu parles à tes beaux enfants, quand tu les grondes pour t'amuser, ou quand tu leur poses des questions et que tu donnes les réponses. À noter que l'on fait de même avec son chat ou son chien, car les humains, même quand ils ont du génie, sont obligés de jouer à quelque chose s'ils ne veulent pas perdre la tête.

Curieux, non? Perdre la tête volontairement pendant quelques instants, afin de ne pas la perdre malgré soi et définitivement. Beau sujet de dissertation pour jeunes philosophes...

Donc, pendant que Josué se souvient de la mort qu'il a donnée à Isabelle, tu es toute fière de voir que Jean-Pierre vient de réaliser un documentaire formidable à l'O.N.F. On parle de lui dans les journaux pour la première fois! Fière, tu me montres l'article avec sa photo, et ce que je retiens de ce moment de ta vie, c'est que tu as l'air de me signifier à peu près ceci: «N'est-ce pas que j'ai raison de ne plus le tromper avec toi!» Je te souris, car à ce moment-là je ne vois pas la même chose qu'aujourd'hui, dans tes yeux. Par fatuité, je crois que tu me souris parce qu'il y a encore quelque chose qui traîne entre nous. Comme des traces d'un parfum lourd qui restent collées à la peau pendant des jours. Oui, je crois, à tort, qu'il y a des traces d'amour entre nous. Mais la vérité, c'est ce que je viens de t'écrire: tu es une femme de carrière et tu me dis, par ton sourire, combien tu es fière de ton mari et que tu as bien raison de ne pas le tromper avec moi.

Vanité, donc, de ton comportement. Mais encore là, je veux faire la part des choses. C'est l'heure de foncer, d'occuper l'espace, sinon quelqu'un d'autre va prendre ta place et celle de Jean-Pierre. Votre course au bonheur, à vous deux, se confond avec votre bonheur... Mais ce pourquoi je t'aime, ce en quoi tu es différente, c'est dans la façon que tu as de prendre tes enfants dans tes bras, de les caresser, de les réchauffer, de leur parler comme tu parles à ton chat... Ta maternité est belle, profonde, et elle me dit que ton amour pour moi pourrait être encore d'une grande chaleur. Alors j'attends... avec raison, comme tu le sais...

Ce en quoi tu es différente, plus importante que dans le plaidoyer féroce qui va influencer le juge dans une heure, c'est par la façon dont tu fais la bise à Jean-Pierre au moment où il te quitte pour aller préparer un autre tournage. Quand tu poses doucement la main sur sa joue, n'importe quel homme voudrait être ton mari. Non pas parce que ton geste est plus doux que celui d'une autre, mais parce que je sens ton âme au bout de tes doigts.

Après le petit déjeuner, Sawinne se leva de table et je vis la plénitude de ses hanches, la solidité de ses cuisses, tout cet appareil de chair et de muscles qui voulait faire éclater le tissu des vêtements. Josué continuait son récit pendant qu'elle allait et venait, de plus en plus présente, de plus en plus maîtresse des lieux. Pourtant, c'était là que j'étais né, moi, mais sa chair de métisse, venue d'ailleurs, faisait disparaître même le souvenir de ma mère...

C'était délirant parce qu'au même instant Josué me disait qu'il était allé à L'Ancienne-Lorrette pour voir si sa fille Sawinne n'était pas là, avec sa mère, justement.

— De Québec, j'ai pris un taxi et à la réserve, quand j'ai demandé la mère de Sawinne, les Sauvages ont...

— Josué! cria Sawinne avec un demi-sourire. On n'est pas des Sauvages! Des Amérindiens... Les premiers habitants du pays, oublie-le pas...

— Les premiers habitants du pays, c'étaient des animaux, ma p'tite fille... À part de ça, ta mère était moins fine gueule que toi. Tu sais ce qu'elle me disait, ta mère, quand je couchais avec elle pour te fabriquer? Elle disait à chaque fois: «Je suis la Sauvagesse la mieux fourrée de tout le Canada!»

Il éclata de rire, puis resta silencieux pendant plusieurs secondes, et à ce moment-là, s'il n'avait pas été aveugle, il aurait fermé les yeux sur son passé, pour en mieux goûter le souvenir. Puis il reprit:

— Ta mère s'amusait beaucoup avec l'histoire des Amérindiens. Elle avait inventé une légende qu'elle me racontait en la modifiant selon les jours et ses humeurs. Ses lointains ancêtres étaient arrivés par le détroit de Béring, venant des steppes de la Sibérie, mangeurs de racines et de peaux de baleines, de vers et d'oiseaux morts, mais c'étaient seulement des mâles. Dans le nord du Canada, ils avaient trouvé d'immenses troupeaux de chevreuils et ils avaient sailli les femelles des cervidés, ce qui avait donné les belles cuisses et les jambes fines des Sauvagesses... Et ça la faisait rire, parce qu'elle s'inventait ces histoires un peu folles seulement pour s'amuser, comme les anciens ont inventé toutes sortes de mythologies, à ce qu'il paraît...

— Oui, c'est vrai, dis-je, mais parle-moi plutôt des Amérindiens de L'Ancienne-Lorrette.

— Ben, là, ç'a été terrible parce qu'ils ont commencé par dire qu'ils connaissaient pas du tout la femme dont je parlais. Une femme qui avait eu une petite fille avec un Blanc du Bas-du-Fleuve, qui avait été la porter à son père, pis qui était revenue chez elle. Ça m'a donné un coup. Je suis tombé assis par terre, découragé. Mais je voulais pas les croire. Là, ça s'est passé comme dans les vieux films américains qui font pleurer les p'tites vieilles pis les enfants qui ont pas encore commencé à se droguer. Je suis resté assis un bon bout de temps, sans dire un mot. J'entendais rien non plus. Finalement je me suis levé, pis j'ai pris le bras de mon chauffeur de taxi pour retourner à l'auto. Quand je suis venu pour m'asseoir sur le siège, j'ai senti une main de femme se poser sur la mienne. Tu sais, la peau douce des Amérindiennes... J'en ai eu un frémissement dans le bas du ventre. Elle m'a dit: «Monsieur... on l'a vue votre fille Sawinne, mais on lui a dit que sa mère était partie à Chisasibi, dans le Grand Nord... Je pense qu'elle est allée la retrouver...»

— Mais, dis-je à Josué, Chisasibi, c'est un village où vit une tribu de Cris!

— Oui. C'est de là que venait la mère de Sawinne.

— Elle ne te l'avait jamais dit?

— Non. En réalité, elle m'avait pas dit grand-chose. C'était moi qui parlais tout le temps, parce que j'étais survolté par les derniers événements, et j'avais besoin de me vider...

— Tu vois, Josué, faire l'amour, ça règle pas tous les problèmes, dit Sawinne avec son petit sourire coquin, et elle retourna à son travail domestique, redevenant aussi discrète qu'une souris.

— Oui, mais avec une femme comme ta défunte mère, ça fait des beaux enfants en maudit!

Donc, la mère de Sawinne était morte... Mais je ne veux pas devancer la narration de Josué, qui prend tout son temps, parce qu'il n'a plus rien d'autre à faire... lui non plus.

À ce moment-là, Sawinne eut un geste, qui me fit tressaillir. Elle avait fini de ranger la vaisselle dans l'armoire et elle alla ouvrir la porte de la chambre qui jouxte la cuisine. Tu ne le sais pas, Marielle, mais c'est dans cette chambre que Sawinne et la femme de Josué ont couché le corps de Norbert, le soir où Josué l'a rentré à la maison sur son épaule après l'avoir tué. Et c'est à ce moment-là qu'elle s'était allongée près du corps de Norbert et l'avait enlacé, sans verser une larme. Ainsi, par ce geste, elle révélait à la femme de Josué, c'est-à-dire au monde entier, qu'elle était la maîtresse de son oncle, maintenant occis.

Sawinne, donc, ouvrit la porte de la chambre et regarda le lit qui était encore là, bien fait, inutile depuis des années, en tous points semblable à un cercueil. Aveugle, Josué avait très bien repéré la direction de ses pas et entendu le léger craquement de la porte. Alors il s'était arrêté de parler et il attendait en silence, apparemment impassible, mais il est très difficile de savoir quand un visage d'aveugle est vraiment impassible... Je la voyais de dos, élancée, immobile, et j'avais envie de me lever, d'aller près d'elle et de la prendre dans mes bras pour la consoler, car il était certain qu'à ce moment-là elle revivait le moment le plus douloureux de sa vie. Mais j'étais incapable de bouger. Étant donné la façon dont nous étions disposés, nous formions un triangle à peu près équilatéral dont elle était la pointe, ce qui était le fruit du hasard, mais à cause de l'intensité de l'émotion qu'il y avait dans l'air, nous étions comme accrochés tous les trois à cette forme géométrique, et soudainement nous devenions semblables à des acteurs sur une scène de théâtre, jouant un mélodrame écrit par un auteur russe de deuxième classe.

Mais comme Sawinne gardait le silence, l'émotion qui nous étreignait devint si intense que le «mélodrame» devint drame, puis, tout à coup, je me rendis compte que je voyais Sawinne avec une grande tunique attachée à ses épaules par des fibules dorées. Dans ma tête, elle devenait un grand personnage tragique, aspirant à l'absolu mais écrasée par la volonté des puissances supérieures: l'inconnu, le destin, et une certaine idée que l'on peut se faire de la divinité. Finalement, Josué brisa le silence:

— Qu'est-ce que tu fais là, Sawinne?

— Je regarde Norbert, qui a le dos ouvert par ton crochet à billots. Je me suis allongée près de lui, et ma vie sexuelle d'amoureuse est finie.

Sawinne parlait sans se retourner, fixant le lit immaculé, vierge comme elle l'était restée elle-même depuis ce jour-là.

— Tu ferais mieux de fermer la porte de la chambre, dit Josué, mais elle n'en fit rien.

— Josué, mon très cher papa, tu t'imagines tout de même pas que je vais te laisser mourir sans te rappeler qu'en assassinant ton frère, tu m'as tuée moi aussi...

— Sawinne... Sawinne, tu m'as déjà dit plusieurs fois que tu m'avais pardonné!

— Oui, je t'ai pardonné. Absolument. Mais comment peux-tu supposer que j'aie oublié?

— Elle a raison, dis-je en direction de Josué, même s'il ne me voyait pas. Une chose pareille ne s'oublie pas... Mais si je peux dire quelque chose qui... qui ne vous empêcherait pas de souffrir mais qui vous libérerait peut-être de votre culpabilité, vous n'êtes pas totalement responsables... J'ai l'impression que vous avez été manipulés, tous les trois, par des forces supérieures, cachées...

— Mon oncle, la plaie dans le dos de Norbert n'était pas cachée, mais supérieurement béante, faite par un crochet bien réel, manipulé par une main experte...

— Oui, dis-je, mais au risque de te faire mal, Sawinne, je dirais que c'est aussi la faute de Norbert... Il était intelligent, beau, mais, comment dire... un peu beaucoup naïf... En plus il n'avait pas la force de vivre l'amour que tu lui avais inspiré.

— Autant dire qu'il ne m'aimait pas! Parce que, quand on aime vraiment, on trouve les moyens de se sauver!

Elle avait élevé la voix, mais elle parlait toujours dans la même position, nous tournant le dos, regardant le lit. Nous venions de nous frapper la tête contre un mur.

Et c'est à toi, Marielle, que je vais donner l'explication, car j'estime que Sawinne est plus belle, plus vraie, plus vraiment Sawinne dans cette petite zone d'ignorance, par rapport à Norbert. Voici: j'ai toujours dit que Norbert était Ulysse. C'est vrai, en ce sens qu'il a voyagé comme le personnage de la mythologie grecque, mais Ulysse a une autre qualité typiquement grecque: il est malin ou, plus exactement, retors. Ce que Norbert n'est pas du tout. Norbert est un brave garçon, pas con, mais rêveur... Il en meurt. En passant, je voudrais te signaler quelque chose à propos du mot «retors». Sais-tu que les Québécois ont un synonyme de ce mot, qui est... «ratoureux»? Est-ce la déformation du mot français ou un mot fabriqué à partir du fait que le «retors», ou le «ratoureux», est un homme qui «joue des tours»? Cette dernière hypothèse me paraît plus plausible, mais je trouve que les deux mots se ressemblent, d'une certaine manière, et cela m'amuse. Les mots sont des pierres traînées par des glaciers, transformées par le frottement contre l'écorce terrestre. Plus passifs que le plus esclave des esclaves, ils commandent l'admiration, non? Mais tu pourrais me répondre que ce que nous aimons, dans les mots, c'est la civilisation des hommes qui les fabriquent... Autrement dit, nous nous admirons nous-mêmes...

Quoi qu'il en soit, si je te suis revenu au moment où Sawinne joue la «tragique» en face du lit vide qu'elle n'a pas vu depuis quinze ans, c'est parce qu'il y a un rapport entre elle et toi. Tu dois t'en souvenir... Jean-Pierre était mort depuis un an, jour pour jour. Nous allons au cimetière tous les deux, porter des fleurs et nous recueillir. Comment ne pas penser à notre tour qui s'en vient. Devant la pierre tombale, tu fermes les yeux, tu t'inclines, tu as la dignité des femmes qui ont aimé un homme, des personnes qui respectent ce que nous appelons pompeusement «les valeurs sacrées». Très bien. Moi, je souris intérieurement, pensant que Jean-Pierre, où qu'il soit, s'il est quelque part, se fout complètement de toi et de moi. Mais je respecte ton attitude, me disant que nous avons tout de même besoin de ces inventions qui mettent du divin dans notre vie, autrement on se comporte comme des charognards, et c'est laid...

En sortant du cimetière, nous allons voir la maison où vous avez vécu pendant plusieurs années, et que Jean-Pierre a vendue avant de mourir. Nous nous tenons debout sur le trottoir, devant la porte d'entrée, et tu regardes cette façade de briques derrière laquelle tu as élevé tes enfants, où tu as peiné, aimé et baisé... Or, contrairement à ce que tu as fait au cimetière, là, tu te mets à trembler, tu grimaces, et tout à coup les sanglots te déchirent la gorge.

La tombe est sacrée, mais elle ne parle pas à ton âme ni à ton corps. La maison est une simple valeur marchande pour celui qui l'achète ou la vend, mais elle est pleine de ta vie, et si tu le pouvais, tu la prendrais dans tes bras, dans l'espoir d'embrasser en même temps le bonheur et les souffrances de ton passé. Or cela m'émeut terriblement. Je te presse contre moi, je t'embrasse, et j'ai envie de te renverser sur la pelouse pour faire l'amour, là devant tout le monde de la rue, car y a-t-il autre chose à faire, quand on souffre?

Sawinne devant le lit endormi, toi devant ton ancienne maison, c'est pareil... Avec la différence que je ne pouvais pas renverser Sawinne sur le lit. Pour diverses raisons, la première étant que j'avais presque peur d'elle. Pourtant, elle me regardait toujours avec une certaine complaisance. Mais comment oublier que sa main, si attirante, avait tenu la fourchette qu'elle avait plantée dans les yeux de son père?

Toujours dans la même position, à la pointe du triangle que nous formions tous les trois,

Sawinne me répondait calmement mais avec une force qui me désarmait:

— Norbert n'était pas naïf! Tu le connais mal... Il était plus conscient que tout le monde autour de lui! Conscient, ça veut dire: obligé d'écouter les petites voix qui vous parlent, par en dedans, parce qu'on est sensible... C'est à cause de ça qu'il est resté ici, qu'il n'a pas voulu prendre la fuite avec moi... Quand il a dit «oui», il était trop tard.

Je ne sais pas pourquoi, mais tout à coup cette discussion me pesa et je me levai pour sortir. J'avais besoin de marcher un peu, seul. Mais en quittant ma chaise et en changeant de position, je me trouvai à défaire le triangle dans lequel nous étions enfermés, pour ainsi dire, et par le fait même Sawinne fut tirée hors de son rôle «tragique». Frustrée par mon geste, elle me demanda où j'allais sur un ton irrité, comme une femme qui soupçonne son mari de prétexter un besoin de cigarettes pour aller téléphoner à sa maîtresse. Ce que je retiens de tout cela, c'est que Sawinne, à peine revenue à la maison, se conduisait tout de suite avec moi d'une manière troublante: elle donnait l'impression d'être une femme avec laquelle j'avais une relation plutôt intime, alors qu'il n'en était rien, évidemment. Je ne sais pas encore pourquoi, et je me demande si je le saurai un jour.

Toi, Marielle, dans ta sagesse de sexagénaire avancée, tu as peut-être deviné?

Toujours est-il que j'ouvris la porte et me trouvai de nouveau dans le beau soleil d'automne, au moment où la saison se meurt doucement, sans douleurs apparentes. Je décidai de monter sur la côte, en face de la grange, mais au bout de quelques pas je rebroussai chemin d'un seul coup, poussé par une impulsion qui me parut tout de suite évidente: je ne voulais pas aller seul sur la côte, là où le souvenir de Josaphat était encore présent, malgré les nombreuses années qui me séparaient de sa mort. J'irais, un jour, mais en compagnie de Josué.

Je regardai vers le nord. Le soleil faisait reluire les toits de Baie-Comeau et frappait sur la falaise de Forestville, comme dans le temps où nous mangions des pommes en allant arracher des patates au pied de la montagne. Le temps de l'innocence... Avais-je besoin, vraiment besoin, de la perdre, cette innocence de jeune bête? J'aimerais bien que tu me dises quelque chose à ce sujet, Marielle... Si jamais tu réponds à ma lettre... (Réflexion faite, non, je ne veux pas que tu cherches une réponse à cette question, qui est sans importance et, pour tout dire, futile. La mort des innocents ne dérange personne!)

Je rentrai tout de suite à la maison pour trouver Sawinne en train de faire du ménage et Josué qui fouillait dans le tiroir où on garde les couverts. Il était appuyé au comptoir et sa vieille main noueuse, aux veines proéminentes, se déplaçait lentement en tâtant les petites cuillers, les fourchettes, puis les couteaux, et enfin, tout à fait à droite, les longs couteaux à boucherie. À ce moment-là, je vis une amorce de sourire sur son visage. Il en sortit un, le palpa, toucha la lame pour en vérifier le fil, puis il le posa sur le comptoir en disant:

— Non, c'est pas celui-là...

Sa main retourna au tiroir, tâtant avec une espèce de fébrilité qui aurait pu être enfantine, par certains côtés. Il en sortit un autre et fit le même manège pendant quelques secondes.

— C'est celui-là! Tu le reconnais, Sawinne?

Sa fille s'approcha pour jeter un coup d'œil rapide sur le couteau:

— Oui... C'est le couteau que je t'ai apporté pour saigner le jeune taureau, à la mort de ton père... Puis c'est le même couteau que Norbert a pris pour couper les couilles de la brave bête, les trancher et les faire cuire, pour qu'on les mange ensemble... On n'oublie pas ce genre de choses, ajouta Sawinne, qui, l'air supérieur, retourna à son travail.

Josué posa le deuxième couteau près de celui qu'il avait sorti en premier lieu, puis il me dit:

— Les couteaux sont là, mon p'tit frère... Quand tu voudras, tu les affileras comme il faut, O.K.?

— Oui, quand t'auras fini de me conter ton voyage, lui dis-je...

Voilà, ma chère Marielle: ces deux couteaux que je vais aiguiser, c'est la raison de mon départ, la vraie raison, celle que je ne pouvais pas te donner. Si tu n'as pas encore compris, ne t'inquiète pas, ça va venir... Et pendant que je t'écris cela, il y a une chose qui me vient à l'esprit: tu dois te dire, comme bien d'autres, qu'il y a beaucoup de sang dans tout ce que je raconte, bien des balles de carabine dans le front... C'est vrai. Mais ce qui me fait rigoler un peu, c'est le fait suivant: la Grèce est l'un des pays qui a donné la plus grande civilisation à l'Occident. Or l'histoire de ce pays est une longue série de guerres aussi horribles les unes que les autres, au cours desquelles on s'entretue avec acharnement. N'est-ce pas un peu troublant? Comme si on avait besoin de tuer pour être capable de créer... Dix ans de guerre à cause d'une femme, avec l'*Iliade* en récompense, ou comme fruit après le labeur, le «pònos»... Peut-être que c'est ça, avoir des couilles?

Et puisqu'on y est, à la guerre de Troie, avec les épées, les lances, les boucliers, les flèches, et la «belle Hélène» qui fait bander tout le monde, puisqu'on y est avec Josué qui a sorti ses couteaux et que Sawinne a reconnu celui qu'elle est allée chercher pour l'apporter à son père, dans l'abattoir, quinze ans plus tôt, parlons donc de ce personnage qui n'a jamais été bien défini, ma chère Marielle.

Sawinne, je l'ai toujours considérée comme une espèce d'Hippolyte au féminin, tout bêtement parce qu'elle est la fille d'une «Sauvagesse», et aussi parce qu'elle est emportée par un amour plus ou moins incestueux. Bien. Mais en réalité, elle est peut-être plus Hélène qu'Hippolyte. On a écrit des tas de choses élogieuses sur Hélène. Plus exactement, ce qu'elle est en rapport avec les hommes... qui meurent pour elle (ce qu'elle est, en soi, est un autre aspect de sa personnalité dont il ne peut être question pour l'instant). Donc, à propos d'Hélène enlevée et objet d'un litige mémorable, cause de guerre sanglante, Isocrate a écrit: «Les uns avaient la possibilité, en rendant Hélène, de se débarrasser de leurs maux; les autres, en se désintéressant de son sort, de vivre le restant de leurs jours dans la sécurité. Ni les uns ni les autres n'acceptèrent cette solution: les premiers voyaient sans émotions leurs villes détruites, leur territoire bouleversé, pourvu qu'ils ne fussent contraints d'abandonner Hélène aux Grecs; les autres aimaient mieux vieillir en restant sur la terre étrangère et ne jamais revoir leur famille que de rentrer dans leur patrie en abandonnant Hélène.»

Ici, ma chère Marielle, il faut prendre une grande respiration et réfléchir à la portée d'un tel personnage. Y a-t-il enflure dans ce texte? On pourrait le supposer, quand on voit qu'une seule femme est la cause d'une guerre qui a duré dix ans et dans laquelle des milliers d'hommes sont morts. Non. À la vérité, aucune enflure. Les faits, tout simples. On perd la raison et on refuse de se bien gouverner à cause d'une femme. Je crois que c'est en ce sens, surtout, que l'*Iliade* est un classique: ce beau poème dit le profond besoin de drames qui gouverne les hommes, plutôt que la raison.

Mais où est Sawinne, dans tout ça, ma petite Sawinne à moi, une fille toute simple? Elle est là, tournant autour de deux hommes qui sont plus âgés qu'elle, et elle expose la splendeur de son corps, comme Hélène apparaissant sur les murs de Troie, pendant que je me demande si elle n'a pas envie de dire: «N'est-ce pas que Josué était justifié de tuer son propre frère pour moi?» Car, quand elle époussette, lave la vaisselle, récure les casseroles ternies, Sawinne exécute une espèce de danse qui n'a pas pour but de séduire, j'en suis sûr, mais une danse qui est tout simplement l'expression de son bonheur d'exister ou, si tu veux, c'est comme si elle dansait sa propre beauté.

De ce fait, elle se regarde agir, ce qui revient à dire qu'elle cherche à séduire... Mais qui? Et à cause de tout cela, elle est plus Hélène que je ne saurais dire...

Une dernière fois, Josué toucha les deux couteaux sur le comptoir, puis il posa une main sur mon épaule dans un geste chaleureux, comme on le fait pour donner du courage à un ami.

Marielle, j'étais bien résolu à aiguiser les couteaux, surtout, à les aiguiser de façon impeccable, mais je n'en avais pas encore la force. J'avais l'impression d'être toujours travaillé par ma jeunesse, comme une terre est travaillée par la charrue. Je voulais produire, même si ça ne servait à rien. Josué me dit:

— Viens, on va aller faire un tour à l'étable.

Et je le suivis pendant qu'il me racontait son voyage à Chisasibi. Une expédition complètement folle.

— J'avais entendu parler de la Baie-James, comme tout le monde, mais jamais j'aurais cru que c'était si loin. Pire que ça! Jamais j'aurais cru qu'il pouvait y avoir autant d'espace dans notre pays. C'est ce qu'on a le plus, de l'espace... J'aurais voulu y aller à pied, en me disant que j'avais le reste de mes jours pour faire ce voyage-là, mais quand ils m'ont dit que ça faisait quelque chose comme deux mille kilomètres à partir de Québec, j'ai craqué. Et pis je m'ennuyais de Sawinne. Savoir qu'elle était là, ça me poussait dans le dos. Alors j'ai pris l'autobus. Trois jours! Trois jours de ronron. Quand tu vois rien, c'est pas drôle...

À ce moment-là je poussai la porte de l'étable. L'odeur défraîchie du troupeau et de la vieille paille, emmêlée à celle du fumier desséché, tout cela dressa un barrage qui arrêta Josué d'un seul coup. Soudain, il se trouvait dans ses belles années productives, travaillant «d'un soleil à l'autre», luttant, poussant, hissant le poids des choses qui retombaient sans cesse, mais son plaisir était dans ce perpétuel recommencement qui lui faisait dépenser son énergie. Et le plaisir de la germination était imbriqué à cette consommation d'énergie. Appuyé à son bâton, Josué avait baissé la tête et s'il avait eu ses yeux, il se serait regardé les pieds, comme on fait quand il n'y a rien à faire et qu'on n'ose pas se résigner à l'impuissance.

— Vas-y, toi... Va voir si tout est correct, me dit-il.

J'entrai, le cœur serré, me disant que grâce à cette étable, qui au départ était minuscule, cinq générations de notre famille avaient pu vivre. C'était propre. Les stalles étaient bien là, alignées, vides, avec leurs abreuvoirs à sec. Mais c'était désert, silencieux, un peu comme le lit dans lequel Sawinne avait couché Norbert, à sa mort.

Alors, Marielle, j'ai pensé à toi, au moment où tu entres dans la maison que vous venez d'acheter, à Notre-Dame-de-Grâce. Ta vie est alors au maximum de son rendement. Tu plaides et tu gagnes! On t'applaudit! Les enfants sont nés. Tu es une femme parfaite. Tu rentres à la maison dès que ta victime a été condamnée et, fière, tu dorlotes tes chers petits, tu les aides à faire leurs devoirs, tu les fais manger, tu les surveilles, tu les instruis, parce que l'école ne peut pas tout donner (nous sommes entrés dans l'ère du progrès, et on ne sait plus quoi enseigner...), tu as des idées sur la politique, Jean-Pierre monte, film après film, on l'aime, on le critique mais on l'aime parce qu'il est honnête, parce qu'il a des convictions, et le soir, quand les enfants dorment, il arrive encore souvent que tu aies la force de faire l'amour avec ton mari, s'il n'est pas épuisé, lui, par le travail d'une jeune maîtresse.

Mon Dieu que ta maison ressemble à l'étable de Josué! Ne va pas jeter les hauts cris en lisant cette comparaison qui sonne comme un blasphème aux yeux des têtes de linotte. L'étable de Josué était pleine de vie, ta maison aussi. D'un côté, il s'agit d'animaux, de l'autre il s'agit d'êtres humains... Et alors? Dans les deux cas, il s'agit du merveilleux maelström de la vie et si tu prends du recul, dans le temps et l'espace, tu verras qu'il y a bien peu de différence entre les uns et les autres. Aujourd'hui, l'étable de Josué est vide, abandonnée. Demain, ta maison sera occupée par d'autres qui y feront les mêmes choses que toi et Jean-Pierre. Tes enfants seront ailleurs, et ils attendront que tu meures avec une patience calculée.

Mais dans ce déploiement d'énergie, dans tous ces gestes qui ne représentent à peu près rien dans la grande marche du monde, il y a quand même quelque chose qui te différencie des autres femmes, quelque chose qui fait de toi la Marielle que Jean-Pierre aime et que j'aime en silence. Mais comment définir cette différence? Pour l'instant, je m'en sens incapable, comme si j'avais oublié ton regard, le timbre de ta voix, la couleur de tes yeux: «L'œil ocellé de la belle indécente...» Oui, c'est ce que j'ai noté dans mon carnet, le lendemain de ma rencontre avec toi, à l'époque où je prenais des notes et m'essayais à trousser un vers de temps en temps. Pourquoi t'ai-je décrite comme une indécente, toi qui as toutes les allures de la femme correcte, juste assez digne pour ne pas passer pour une snob? Je t'ai vue telle, ou je t'ai désirée telle, ou tu as joué, devant moi, une note de cette musique que seul le destinataire entend, et dans laquelle on met les accents les plus viscéraux, tout en parlant de Dieu, de politique ou de la loi sur le divorce...

C'est peut-être seulement là, dans cette zone, trouble, qu'un être humain se définit, installe sa spécificité. Je ne saurai jamais si tu as voulu me séduire, et moi je n'ai jamais cherché à le faire.

Josué n'a pas voulu entrer dans son étable.

— Ferme la porte. Viens-t'en... J'aime autant pas voir ça...

Comme tous les aveugles, Josué parlait souvent de «voir», car ils voient à leur manière, et je me gardai bien de rire.

— Montons sur la côte.

— O.K. Avec toi, dis-je, ça me fait plaisir.

— Pourquoi, avec moi?

— Pour partager les souvenirs. J'ai essayé de monter tout seul, tantôt, et j'ai rebroussé chemin...

— Femmelette...

Il rit, un rire qui n'était pas fraternel comme ses rires d'autrefois, quand on se bourrait les côtes après une bonne blague. Non, maintenant son rire était sec, mince, maigre comme ses mains.

Nous nous sommes donc mis en marche vers le haut de la côte, vers cet espace qui, au cours des années, avait pris les allures de symbole dans la famille. En haut, c'était là qu'on pouvait voir le plus loin, c'était de là que l'on s'élançait, en regardant la rive nord du fleuve, les pitons bleus du Bic baignant dans l'«azur du ciel», et vers l'est où pointait le clocher de Sainte-Luce-sur-mer... C'est là que mes rêves d'espaces ont commencé, allumant en moi le besoin du voyage. Mais cette fois, notre ascension fut pénible, non pas parce que Josué marchait lentement, appuyé sur son bâton, mais parce qu'il refusait de se souvenir et il me racontait son voyage entre Montréal et Chisasibi: l'autobus, les odeurs, les bruits, la pluie, la neige, etc. En somme, rien de vraiment palpitant. Donc, pénible parce que pendant ce temps-là, moi j'essayais de revivre ce qui s'était passé à l'enterrement de Josaphat, quand Norbert avait eu l'idée géniale de faire monter le cercueil sur la côte, et que toute la famille avait suivi, montant la côte mais remontant vers l'enfance, revivant toutes les étapes de cette première vie sous la houlette de Josaphat le «père», tellement père qu'il en rendait malade l'une de nos sœurs, malade de peur. (Dieu aussi nous rendait malades!) Les maladies, les joies, les plaies de notre pauvreté qui se putréfiaient doucement, sans jamais se fermer, et que l'on donnait à lécher au chien Espoir-Résignation, tout cela refluait vers la gorge comme les relents de très vieux repas, et les sanglots éclataient derrière le corbillard noir. Quel moment magnifique dans la vie de notre famille! Mais à ma grande surprise, Josué feignait d'avoir oublié cela, et il enterrait ce souvenir sous son verbiage de vieillard qui a le droit de parler pour la simple raison qu'il est vieux... Et tout à coup je lui dis:

— Tu te souviens de l'enterrement de Josaphat?

— Oui, mais, Josaphat, c'est comme l'étable, le taureau et les vaches... C'est fini.

Pourtant, au ton qu'il avait employé malgré lui pour me dire cela, je compris qu'il n'en était rien: il refusait de l'admettre, mais tout son passé était là, dans sa chair et dans son cœur.

Pour lui, la fin approchait (pour moi aussi!), et il y avait, comme cela, des moments de révolte qui le braquaient contre les souvenirs envahisseurs, véritables assaillants, Huns et Teutons de la mémoire confondus dans une même rage de détruire le bel édifice de la conscience...

Cela me rappelle ton attitude envers Jean-Pierre, ma chère Marielle... Quand il rentre à la maison, vieilli prématurément, faible, malade, lourd d'une expérience unique, tu te mets à lui poser des questions, parce que tu étais là au début de sa carrière, avec lui, et tu ne peux t'empêcher de revenir sur sa vie: tu l'écrases avec tout son passé dont il veut se défaire, mais il s'enferme dans le silence et tu pleures... Je t'aime beaucoup, toi la Marielle de Montréal, la femme supérieure qui «joue un rôle dans la société», mais je n'ai pas encore réussi à te faire admettre qu'il y a des zones d'ombre, dans la conscience de l'être humain, qu'il vaut mieux ne jamais éclairer. «Bizarre, bizarre...», comme disait Jouvet dans le vieux film de Carné, on dirait que tu vas devenir une vraie femme seulement quand tu auras passé ta langue dans tous les replis de son cœur d'homme. Belle grosse chatte, va!

Quand nous sommes arrivés sur la côte, Josué et moi, le soleil était déjà à son zénith de la fin d'octobre. Paresseux... Clair, bon, mais sans élan. Un soleil qui a l'air de somnoler, qui laisse la petite brise du nord descendre de temps en temps pour nous frôler. «Attention, dit-elle, mon gros papa s'en vient, et vous allez vous faire botter les fesses!» Pas cette année, petite nounounne...

Josué a poussé un long soupir en se retournant, puis il a entrouvert la bouche comme pour recevoir ce spectacle en guise de communion. Ou plutôt de viatique, puisque c'était la dernière fois qu'il le «voyait». Mais il n'eut pas le temps de se rendre compte qu'il ne voyait rien. Il entendit le pas de Sawinne! Elle montait la côte derrière nous, alerte malgré la plénitude de sa chair. Bien entendu, il reconnut le pas de sa fille et il lui demanda:

— T'as plus rien à faire à la maison?

— J'ai des tas de choses à faire, puisque je commence à peine. Mais j'ai tout mon temps...

Je me sentais léger, malgré les circonstances. Je lui souris en disant:

— Tu pourrais dire: «J'ai tout mon temps, moi, tandis que vous...» Alors son regard s'étala sur tout mon corps d'homme âgé avec une douceur extraordinaire, puis elle déclara:

— Oui, je pourrais, mais je ne veux pas qu'un jour quelqu'un d'autre me dise la même chose.

— Pourquoi t'es montée ici, avec nous? demanda Josué.

— Parce que j'ai besoin de me souvenir, moi aussi. Et, que tu le veuilles ou non, Josué, je suis rattachée à ce petit rocher autant que vous deux. Je n'ai pas les mêmes racines que vous parce que je ne suis pas née ici, parce que je ne fais pas vraiment partie de la famille? Pas si vite! Je peux t'affirmer que j'ai été greffée à votre terre, ici, exactement...

Elle fit quelques pas et se tourna vers le sud, puis elle continua d'une voix que l'émotion faisait vibrer d'une façon étrange... J'oserais dire «vriller», parce qu'elle nous entrait dans le cœur à la manière d'une mèche:

— Oui, j'étais ici, derrière le cercueil de votre père, quand Norbert s'est reculé, a pris son élan et s'est élancé pour sauter par-dessus le cercueil. Je le regardais et je bandais tous les muscles de mon corps pour le soutenir. J'avais même pris une mèche de mes cheveux sur laquelle je tirais, que j'ai presque arrachée. Et quand je l'ai vu dans les airs, faisant un tour complet sur lui-même, semblable à un oiseau pendant quelques instants, j'ai su que ma vie était rattachée à la sienne de façon irréductible. J'avais seulement quinze ans, et pourtant Norbert était déjà en moi, dans mon ventre... Oui, quand j'étais menstruée, c'est vers lui que mon sang coulait. (Un temps.) Voilà, c'est comme ça que Norbert m'a greffée à votre terre, à votre famille, et maintenant je me sens votre égale, votre femme (plongeant ses yeux dans les miens), votre utérus...

Appuyé sur son bâton, voûté, Josué l'écoutait avec le respect que l'on accorde aux personnes investies d'un pouvoir sacré. Il était fier de sa fille. Pourtant, il se garda bien de le faire sentir:

— Norbert a jamais dit exactement pourquoi il avait sauté par-dessus le cercueil de son père... Est-ce qu'il te l'a dit, à toi, Sawinne?

— Non... Il m'a dit qu'il ne le savait pas tellement lui-même, qu'il l'avait fait instinctivement... Mais moi je pense qu'il a voulu mettre un peu plus de divinité dans nos vies, parce que la civilisation l'a détrônée, la divinité... En disant ça, je sais bien que je vous ramène un cliché d'écolo, mais je crois que c'est quand même assez vrai... Toi, mon oncle, qu'est-ce que tu en penses?

— Je crois que Norbert, instinctivement, a voulu transcender la mort, la surmonter, sinon la vaincre... C'est à peu près tout ce que je peux dire là-dessus pour le moment...

Josué cracha par terre, le souffle court, puis il ajouta:

— Moi je pense que Norbert a voulu faire quelque chose d'impossible... C'est comme s'il avait voulu tuer la mort. Vous pensez pas?

— C'est possible, dis-je.

Alors, Marielle, je me pris à penser à ton mari qui, pendant qu'il se tuait littéralement à vouloir faire un film, croyait, lui aussi, qu'il fallait «manger de la mort pour en débarrasser l'humanité»... Opération totalement vaine, bien sûr, mais qui a le même mérite que les pièces de théâtre ou les films: pendant quelques heures, on a l'impression que la beauté créée par les hommes peut nous sauver du malheur immanent. Et c'est aujourd'hui seulement, sur le haut de cette côte, en face d'une grange qui ne sert plus à rien, que je crois comprendre une vieille phrase de Dostoïevski: «La beauté sauvera le monde.» (Entre nous, c'est une belle phrase, mais c'est prendre ses désirs pour une réalité. La beauté est un baume qui colle à la peau... le temps d'un grand parfum!)

Josué me demanda:

— Mon p'tit frère, veux-tu me parler du paysage? Vois-tu la Côte-Nord?

— Oui... Il fait exactement le même soleil que le jour où Norbert a fait monter le cercueil de Josaphat ici, sur le haut de la côte. On voit la falaise terrible de Forestville, les toits de Baie-Comeau qui nous renvoient des rayons de soleil, et vers l'ouest, il y a les petites collines du Bic qui se diluent dans l'azur, fondent le vert de leurs vieilles épinettes avec le bleu du ciel. C'est beau. On voit tous les clochers qui se dressent le long du fleuve, timidement, comme s'ils savaient que le peuple a oublié leurs flèches tendues vers le ciel, tels des bras impuissants. Dieu est sourd.

Je m'arrêtai et le regardai après avoir jeté un coup d'œil à Sawinne, qui avait un joli petit sourire ironique sur ses lèvres charnues.

— Ça te va?

— Oui. Tu parles comme un grand livre... Un peu plus et tu pourrais jouer le rôle des nouveaux curés... Toi, Sawinne, as-tu quelque chose d'autre à dire? Tu sais, c'est la dernière fois que je monte ici...

— Moi, dit Sawinne, je vais revenir souvent, quand vous serez partis tous les deux, parce que c'est ici que je suis devenue femme, à l'âge de quinze ans, par la grâce de votre frère.

L'expression «par la grâce de», dans la bouche de cette femme qui était à des lieues de la chrétienté, me parut bizarre, mais je me gardai de lui en faire la remarque. Sawinne était probablement plus religieuse que toute notre famille, qui avait passé des années à ânonner les prières du clergé...

— O.K. Descendons...

Josué se mit en marche en me prenant le bras, au lieu de demander l'assistance de Sawinne. Cela me fit mal. Un frisson me parcourut l'échine, car il était de plus en plus évident que la fin approchait, puisqu'il se séparait de sa fille, alors que nous étions tous les deux liés au même sort...

De retour à la maison, je vis les couteaux sur le comptoir, à la même place. Sawinne les avait ignorés. Elle se mit à l'œuvre pour préparer le repas tandis que Josué, assis dans sa chaise «berceuse», me racontait la suite de son voyage à Chisasibi, dont je vais te faire grâce parce que je l'estime sans grand intérêt. (Pour atteindre ce village du bout du monde, il voyage avec les camionneurs qui veulent bien le prendre avec eux, et il ne voit rien...)

Si tu te souviens bien, en ce moment tu es seule, Jean-Pierre est parti à Rimouski pour tourner «son» film, c'est-à-dire le film de sa vie parce que lui, il sait que c'est le dernier, celui dans lequel il a mis toutes ses forces, celui pour lequel il s'est tué. (En réalité, je crois qu'il se suicide, non pas en travaillant, mais par le cœur et par l'esprit, mais ça, c'est une autre histoire...) Toi tu es seule à la maison avec les enfants, tu es sans nouvelles de lui depuis près de deux mois, et ton cœur est dans le frigo, pour ainsi dire. Mais bientôt, tout «va prendre une face nouvelle»...

Car Josué arrive à Chisasibi, seul un matin de printemps. On l'a déposé comme un paquet à l'entrée du village, et il est si fatigué qu'il se laisse tomber par terre. Pendant que les rares oiseaux du nord lancent leur cri sinistre dans le ciel pur, il tombe dans une demi-somnolence, se demandant s'il ne va pas mourir avant de revoir sa fille. Mais bientôt un faible tintement de cloche le sort de sa léthargie. Lentement, il se dresse sur son séant, puis se met sur ses jambes... Il me dit:

— Jamais de ma vie j'ai eu l'impression, comme à ce moment-là, de me trouver au bout du monde... L'autre bord du monde, si je peux dire... Le rien, tu comprends? J'avais l'impression de pouvoir toucher le rien... J'ai attendu, comme ça, pendant une bonne heure, puis un pas s'est fait entendre, un pas qui effleurait à peine la terre. J'ai reconnu le pas de Sawinne, puis de sa mère:

— Sawinne?... C'est toi, ou ta mère?

C'est une voix inconnue qui m'a répondu, dans une langue que je comprenais pas. La femme s'est approchée, je l'ai sentie, puis sa main a touché mon bras, comme pour m'attirer mais, je sais pas pourquoi, j'hésitais à la suivre, comme si j'allais me jeter à pieds joints dans un autre malheur...

Marielle! N'est-ce pas merveilleux!? Jean-Pierre vient de sonner à ta porte après deux mois d'absence au cours desquels il n'a donné aucun signe de vie. Tu le reconnais seulement quand il te salue, car il a tellement vieilli que ce n'est plus le même homme qui est devant toi. Tu l'invites à entrer mais il hésite, comme s'il avait peur de pénétrer dans ton alcôve, là où une bête invisible menace de le dévorer. Sais-tu que Josaphat, notre père à Josué et à moi, le soir où il est mort, refusait d'aller se mettre au lit? Il regardait par la fenêtre en répétant: «C'est peut-être la dernière fois que je vois ça...» Quel est donc le lien mystérieux qui unit tous ces personnages? Mais Jean-Pierre finit par entrer, et tu lui pardonnes son silence, ce par quoi il t'a écartée de sa vie intime. Vous tombez dans les bras l'un de l'autre en pleurant de joie triste...

Josué continuait:

— Pourtant j'ai fini par me laisser entraîner, en lui demandant si Sawinne était là. Mais la femme répondait pas. Tout ce que j'entendais, c'était la maudite cloche qui tintait, faible, grelottante, comme si quelque chose de malheureux était arrivé. Puis j'ai entendu des tambours, un rythme facile, qui accompagnait des voix rauques, sauvages, qui chantaient toujours la même chose... Ça aussi, ce chant-là, ça me faisait peur. Tout d'un coup, la main de la femme m'a laissé, comme une roche qu'on laisse tomber au fond d'un trou. Puis ç'a été le silence. Un silence qui me faisait mourir d'inquiétude. J'avais accepté d'être aveugle depuis longtemps mais à ce moment-là, j'aurais donné ma chemise pour voir ce qui se passait. J'ai pas pu m'empêcher de dire:

— Maudite marde! Christ de marde! Pourquoi est-ce que je suis aveugle?

Pis là, après un autre silence, une voix claire m'a répondu:

«Parce que tu l'as voulu, Josué...» J'ai failli tomber par terre. C'était la voix de Sawinne.

Jusque-là, la fille de Josué pelait des pommes de terre sans avoir l'air d'écouter son père. Or au moment où elle faisait couler de l'eau froide dans sa casserole, elle s'est tournée vers moi en enchaînant:

— C'était quand même une drôle de coïncidence, hein, mon oncle? Figure-toi que le jour où Josué me retrouvait, au moment même où je me trouvais devant lui, je sortais du cimetière où on venait d'enterrer ma mère...

— Oui, ajouta Josué, c'est ça... Pis je pense que le hasard, comme vous dites, fait bien les choses, parce que moi, j'aurais été content de voir la mère de Sawinne, mais j'avais pas tellement envie qu'elle voie mes yeux vides.

Tout en posant sa casserole sur la cuisinière, Sawinne me jeta un coup d'œil difficile à définir. Voulait-elle me signifier qu'elle était fière de son œuvre, ou en éprouvait-elle une certaine honte? Je crois que dans ses yeux il y avait ces deux sentiments opposés, un peu comme le mâle et la femelle se retrouvent dans le même individu. Alors je lui demandai:

— Pour toi, Sawinne, est-ce que c'était émouvant de revoir ton père, étant donné les circonstances?

— Oui... Mais c'était surtout bouleversant. Jamais j'aurais cru qu'il viendrait me retrouver, tu comprends... Je me disais qu'il devait me détester à cause de ce que j'avais fait, mais non. Il était là, devant moi, faible, misérable comme une vieille bonne femme édentée, ridée, vidée de toute sa folliculine, et je sentais qu'il pleurait en silence. Il était pitoyable, tellement sa déchéance était totale. Et pendant quelques instants, je me suis prise à le détester... Oui, je le regardais sans dire un mot, et mon ventre saignait parce que Norbert était pourri depuis longtemps, sous terre. Mais tout à coup, je ne sais trop pourquoi, je me suis rendu compte que j'aimais cette déchéance. Elle était totale, absolue, ce en quoi elle lui ressemblait, à lui, mon père... Au fond, j'étais bien sa fille. J'étais dans ses yeux crevés, dans sa longue marche vers moi, dans cette poussée de tout son être vers l'aboutissement... Et quand l'effort est si grand, tellement surhumain, on ne prend même plus la peine de dire l'aboutissement de ceci ou de cela. Je me suis reconnue en lui, comme le dirait un psy d'école secondaire... Alors je me suis approchée, lentement, puis je l'ai pris dans mes bras, m'imaginant un peu que je prenais la place de ma mère qui venait d'être enterrée.

Josué dit:

— Ça faisait longtemps qu'une femme m'avait pris dans ses bras... Tellement longtemps... que je me suis senti devenir comme un enfant... Tu vas me dire que c'était normal, à mon âge, parce que... Non, non, j'étais pas en train de devenir sénile. En m'abandonnant à la poitrine de ma fille, je redevenais simple, simple comme un enfant...

— Tu t'acceptais, je crois, ce qui provoque toujours un soulagement...

Dans la cuisine, il y eut un long silence. Je me retournai pour éviter le regard froid de Sawinne, et je vis les couteaux sur le comptoir...

Mais tu sais, Marielle, je n'étais pas très fier de ce que je venais de dire à Josué, à propos du soulagement que l'on éprouve quand on s'accepte. C'est vrai, mais ce n'est pas très profond. En réalité, il y a quelque chose qui m'échappe dans l'attitude de Josué, et au fond c'est très bien comme ça. Pourquoi verrais-je le «fond de son cœur»? Il a bien droit à sa zone d'ombre, afin que le tableau soit plus vrai, comme ton mari a toujours refusé de s'ouvrir complètement à toi, d'ailleurs...

Et, parlant de ton mari Jean-Pierre, j'ai bien failli oublier d'établir un autre de ces rapports acrobatiques entre Sawinne et toi... Sawinne est debout devant son père qui a fait un voyage de deux mille kilomètres pour aller la rejoindre. Cet être exceptionnel qui est son père a tué l'homme qu'elle aimait. En retour, elle lui a crevé les yeux. Pourtant, il est là devant elle, comme s'il avait besoin, avant de mourir, de se faire mutiler une deuxième fois. Sawinne vient d'enterrer sa mère... Stop! Au même instant, Jean-Pierre vient de piquer du nez dans le cinéma où se termine la projection de son dernier film. Au moment où il touche le parquet, inanimé, la foule se lève et crie son émotion. C'est le délire. Mais Jean-Pierre est mort, étendu sur le plancher froid. Toi, tu es en face de Céline, l'ex-maîtresse de ton mari, et vous vous regardez, figées dans la douleur et surtout le désarroi.

Entre Sawinne et son père Josué, il y a un mort, Norbert. Entre Céline et toi, il y a aussi un mort, ton mari. Sawinne regarde son père, tu regardes Céline. Et la foule crie que Jean-Pierre est un très grand artiste. C'est émouvant, c'est beau. Ça vous tire les larmes. Ah! La belle émotion!

À Chisasibi, il n'y a pas de foule. Seulement une cloche au loin et un tambour amérindien. Peut-être y a-t-il un oiseau solitaire qui laisse échapper de longues plaintes à la manière des goélands. Là, l'émotion est rude comme une vieille écorce de pruche. Elle est nue, aussi, pure comme le ciel du 22 septembre, à midi, au-dessus du pôle Nord. Car à ce moment-là, tu le sais, le soleil est dans l'axe du pôle, au zénith, et ce moment unique dans la course des astres qui nous permettent de vivre ne dure qu'un instant. Un instant de vérité. Voilà comment Sawinne regarde son père et, à son tour, transcende l'amour charnel. Elle saute par-dessus le corps de Norbert, comme ce dernier avait sauté par-dessus le cercueil de son père Josaphat. L'amour pur, l'amour éternel, prend le dessus sur le reste, et Sawinne est emportée, malgré toute sa sensualité, dans le monde supérieur.

Que se passe-t-il entre Céline et toi, au même instant? Contrairement à Norbert qui est enterré depuis longtemps, Jean-Pierre vient à peine de laisser échapper son dernier soupir. Tu n'as jamais beaucoup aimé cette jeune femme au corps plus délié que le tien, plus fraîche de peau, au ventre lisse, dont le pénil excite ta curiosité malsaine. Sachant que ton mari l'a possédée, tu voudrais la voir nue pour savoir exactement ce qu'elle lui a donné, elle, qu'il ne pouvait trouver chez toi. En cela, tu es comme toutes les femmes et tu te poses cette question oiseuse. Car il en est de l'érotisme au lit comme de l'érotisme dans la littérature. L'érotisme existe à la lecture et non pas à l'écriture. C'est le lecteur qui se fait son érotisme. De même, c'est le partenaire sexuel qui se fabrique des excitations, à partir de ce qu'il voit et touche (voir les fétiches...). Même si tu es une femme intelligente, cultivée, qui plaide avec adresse devant des procureurs aussi retors que des Cicéron, tu as passé beaucoup de soirées, seule dans ton lit parce que Jean-Pierre était parti en tournage, à essayer d'imaginer les fesses de Céline, la forme de ses lèvres vaginales, la couleur de ses poils pubiens, la dureté de ses mamelons, etc. Oui, même si tu as fini par découvrir que tu aimais Jean-Pierre d'une façon que tu estimes supérieure (ce qui est peut-être vrai mais pour l'instant ça me laisse froid), la torture de la jalousie t'a poursuivie dans les moments les plus inattendus, même à la cour. Car il suffit d'un détail insignifiant pour lancer l'imagination, la faiseuse de «juments de nuit» (nightmare)... Rappelle-toi: une fois, un juge que tu ne connaissais pas encore est arrivé à la cour, et il avait une grosse verrue sur la joue. Pendant que tu t'adressais à lui, «Votre Honneur...», tu le trouvais bien laid, et tu te disais que si la maudite Céline avait eu une grosse verrue semblable sur le cul, Jean-Pierre n'aurait pas couché avec elle... Ce en quoi tu avais tort parce que l'attrait sexuel peut fort bien s'accommoder de toutes sortes de défauts physiques.

Tu es donc devant Céline et tu souffres parce que «ton» Jean-Pierre est mort, mais en même temps tu es furieuse parce que sa mort ne t'appartient pas entièrement. Céline, la voleuse, t'en a pris un morceau. C'est du moins ce que tu crois. Car elle a crié son nom en même temps que toi, au moment où il a touché le plancher. Et pendant de longues secondes, comme Sawinne devant son père, tu penses que cette femme t'a privée de ton bien, d'un corps et d'un cœur. De sorte que tu ne peux pas t'effondrer dignement comme la seule femme de cet homme extraordinaire, t'abandonner à ta noble douleur devant la foule qui l'acclame. Tu voudrais la frapper, maintenant que Jean-Pierre n'est plus là pour accaparer tous tes beaux sentiments. Mais lentement, tu en viens à te dire que, non, tout compte fait, il faut avoir de la «grandeur d'âme», n'est-ce pas, et pardonner. N'êtes-vous pas femmes toutes les deux, porteuses des mêmes richesses, de la même générosité? La femme souffre pour l'homme qu'elle aime, c'est normal, hein? Et puis tu aimes Jean-Pierre avec ton esprit, maintenant, non plus avec ton corps... Ah! Cette maudite chair qui nous tourmente! Et pourquoi donc, au fond? «Maudit cul!», comme disait l'autre... Fini tout ça. Tu te laisses aller au «beau geste», et vous tombez dans les bras l'une de l'autre en pleurant le même homme. Mais en même temps, tu crois que tu es en train de donner une leçon d'«amour vrai» à la jeune femme-maîtresse qui n'a pas eu les obligations de la femme-épouse. Tu te sens grande. Vite! La photo! Et effectivement, comme Jean-Pierre ne se lève pas pour monter sur la scène, les photographes se mettent à cogner. Vous allez faire la première page de tous les journaux montréalais, et on écrira de belles phrases sur ton geste envers la «voleuse de mari»... Cela te fait du bien, te pose une espèce d'auréole sur la tête, donne de la vigueur à l'idée que tu es une femme généreuse, noble... Ce qui est vrai, d'ailleurs.

Pourtant, ma chère Marielle, Céline n'a pas de leçon à recevoir de toi, car l'homme qui gît sur le parquet au moment où la foule l'acclame, elle l'aime mieux que toi depuis le premier jour où elle l'a connu. Elle a renoncé à lui en lui disant «je t'aime», sachant qu'elle ne recevrait de lui que des baisers hâtifs et des pensées fugitives. Jean-Pierre ne s'est pas vraiment donné, ni à toi ni à elle. Et en plus, ce qui est d'une banalité désolante mais néanmoins vrai, elle savait que cet homme n'était pas libre et qu'il ne se libérerait jamais pour être à elle. Cela ne l'a pas empêchée de l'aimer, de vivre pour lui, de lui donner tout ce qu'elle pouvait, d'attendre seulement un regard de lui, de lui donner tout un rôle au cinéma, et même un doigt qu'elle a perdu en cours de tournage. Céline sait depuis longtemps que Jean-Pierre est un monstre, parce qu'il ne vit que pour son «œuvre». Toi, tu ne le sais pas encore. Tu l'ignores parce que tu as les yeux bouchés par les «belles choses de la vie» qu'il t'a données: un foyer, des enfants... Or, excuse-moi mais ces belles choses, il ne te les a pas données: tu les a prises, toi, la femme, la mère, celle que les fonctions primordiales de la vie enchantent, ravissent. Lui, il t'a subie dans tes gestes de femme donneuse de vie. Céline sait tout cela, et quand elle te presse contre elle en mêlant ses sanglots aux tiens, elle te plaint un peu, car elle, la «pauvre», elle a eu quelque chose d'inestimable, d'intangible, qui n'a rien à voir avec des enfants et une maison: elle a donné et elle s'est donnée, point.

Si j'en étais capable, Marielle, je ferais un rapprochement entre l'aspect positif qui se trouve dans le fait de donner et l'expansion de l'univers... Mais aujourd'hui, je ne suis pas sûr de réussir. Quand je serai plus vieux, peut-être... De toute façon, ce genre de dissertation ne t'emballe pas tellement, je crois. Surtout en ce moment. Jean-Pierre étant mort, ton univers se contracte, et tu n'as pas le goût de t'amuser à jongler avec les théories des astrophysiciens. C'est très bien comme ça. Tu es une vraie femme-terre, argileuse, avec un ventre d'humus, et tu me combleras après l'enterrement de ton défunt mari...

À Chisasibi, Sawinne accueillit donc son père un peu comme une mère accueille un enfant qui lui revient après une longue fugue, cherchant le nid et les bras chauds.

— Il faut dire que maman venait de mourir. J'avais besoin de quelqu'un, et je ne me sentais pas très liée aux autres membres de la tribu, dit Sawinne. Prendre soin de Josué, au fond, c'était une bonne façon de me dépenser, de me donner, puisqu'il n'y avait pas d'homme dans ma vie, qu'il ne pouvait pas y en avoir...

En disant cela, Sawinne me regardait d'une façon étrange. Je ne sais pas pourquoi, mais j'avais l'impression qu'elle voulait me provoquer. (Ici, il faut prendre le mot «provoquer» dans son sens le plus large. Malgré sa longue ascèse, cette femme était encore d'une vitalité extraordinaire.) Or je n'avais plus envie de jouer.

— Dans la cabane que j'habitais, à la sortie du village, je le fis coucher dans le lit de maman, parce qu'il n'y en avait pas d'autre, et là, il s'est passé quelque chose de beau... de très émouvant; pour moi en tout cas. Quand Josué s'est étendu sur le drap, il a reconnu l'odeur de maman, même après tant d'années. Ça m'a remuée jusqu'au fond de l'utérus, à cause du fait que j'ai connu ma mère seulement à l'âge de dix-neuf ans. Quand Josué est entré dans son lit et qu'il a reniflé, comme une bête qui cherche son territoire, je me suis sentie reliée à quelque chose de grand: une famille, ce que je n'avais jamais eu avant, même quand je vivais avec Josué et sa deuxième femme.

— Ça m'a fait drôle de me coucher dans le lit de sa mère, dit Josué, pas tellement parce qu'elle était morte et que je l'avais jamais revue depuis qu'elle m'avait apporté Sawinne à Saint-Anaclet il y a trente ans et plus... Non... C'est l'idée du lit, le lit en soi, comme tu dirais, toi l'intellectuel...

Parce que, quand j'ai passé une semaine avec elle, pas loin de Québec, on couchait dans les broussailles, dans l'herbe... C'est comme ça que Sawinne a été engendrée, à même la terre...

— Et c'est pour ça que je suis une femme dangereuse, dit-elle en posant sur moi son regard le plus lourd.

Je jetai un coup d'œil aux couteaux avant de monter l'escalier pour aller me coucher. J'avais besoin de digérer ma journée, de m'étendre dans la douceur des draps en essayant d'imaginer que je pourrais faire ce geste encore longtemps... Oui, je rêvais de pouvoir mentir à ma carcasse...

Avant de m'endormir, j'entendis Sawinne prendre sa douche, en bas, puis son pas fit craquer les marches de l'escalier, et ensuite le plancher entre l'escalier et sa chambre, voisine de la mienne. Ma porte était ouverte, la sienne aussi; au bout de quelques secondes, je sentis sa présence à la manière d'un fluide invisible qui se répand autour de vous et vous pénètre. Je n'entendais plus rien, pas le moindre petit soupir, mais j'avais l'impression que ma chambre était pleine de Sawinne, de l'essence même de la femme. C'est ainsi que je m'endormis, heureux de ce moment de beauté que j'avais la chance de goûter, malgré mon âge. Car je ne pouvais pas oublier les couteaux...

Quand donc allais-je pouvoir les aiguiser?

Il était amusant d'entendre Josué me parler de Chisasibi, qu'il n'avait pas vu, mais qu'il avait deviné en écoutant les descriptions de sa fille.

— Pas de terre, tu comprends! Rien que des cabanes pis de la pierre. J'aurais jamais pu vivre dans un pays pareil...

— Tu fais partie des gens gâtés qui gaspillent l'humus de la terre pour s'empiffrer depuis deux ou trois cents ans, dit Sawinne avec une légère irritation dans la voix.

— On s'est pas empiffrés! On a donné à manger à cinq, six millions de personnes, puis on a envoyé du bacon aux Anglais, pour qu'ils fassent la guerre aux Allemands!

Ce genre de propos ne menait nulle part, bien sûr, car Sawinne, quoique descendante d'Amérindienne, n'avait rien des écolos purs et durs qui voudraient retourner à l'âge de pierre et demander au monde de manger des racines. Elle le savait bien, elle, que la terre est comme tous les êtres vivants, comme un homme qui naît, grandit, donne des fruits, se dépense et meurt... Alors au bout de quelques phrases, elle éclatait de rire et enfonçait son couteau dans le cul d'un poulet pour le dépecer.

— Sawinne m'a amené voir le barrage de LG 2, dit Josué.

— J'y suis allée aussi pour moi, parce que je l'avais jamais vu, dit Sawinne. C'est vraiment très beau, les cascades...

— Oui, rien qu'à entendre l'eau couler, je pouvais imaginer tout le reste... la force...

Josué resta suspendu à cette notion qui avait été l'obsession de toute sa vie: la puissance... Tout son personnage était dans ce mot. Avant de parvenir au bout de sa route, faible, il avait eu une belle émotion: lui au bras de sa fille, il avait été mis en présence d'une réalisation humaine qui était magistrale, qui produisait de la force, de l'énergie, afin de construire. Pour lui, LG 2 était en quelque sorte l'éclatement d'une puissance comme on en réussit seulement en rêve.

C'est donc à ce moment-là, ma chère Marielle, que je suis revenu dans ta vie. Josué et Sawinne s'éloignent du barrage magistral, toi tu sors du cimetière où on vient d'enterrer Jean-Pierre. Là encore, Céline est tout près de toi, et tu ne pleures pas parce que tu as trouvé la note juste. Celle que la dignité vous impose... de force. Céline non plus ne pleure pas. Elle est comme Sawinne quand elle a vu Norbert sur le plancher, mort et gelé. Céline est au-dessus de tout cela.

Or je me trouve là pour t'accueillir, à la porte du cimetière! Une vraie histoire de cinéma! J'étais à Paris quand Jean-Pierre est mort et je viens tout juste d'arriver. En me voyant tu sursautes, ta dignité t'échappe pendant un moment. Instinctivement tu ouvres les bras. Nous nous embrassons sans dire un mot, nous pressant l'un contre l'autre avec des frémissements qui nous secouent de la tête aux pieds, incontrôlables. Je sais que Céline nous regarde. Elle sait que tu as déjà été ma maîtresse. Je sais qu'il y a une esquisse de sourire sur son visage, malgré les circonstances... Céline s'amuse de ces petits tourbillons qui agitent nos pauvres vies privées. C'est drôle, amusant, un peu comme les mouvements vifs des écureuils... Sans trop d'importance, au fond. C'est pour cela qu'elle a envie de rire, l'ex-maîtresse de ton défunt mari. Et elle a raison. Car, dans l'embrassade frénétique avec laquelle tu veux me communiquer ta détresse de veuve, je reconnais le même tonus qu'il y avait dans les secousses que tu ne pouvais réprimer quand je te touchais doucement aux abords de l'aine, avant de commencer l'ascension du Mont de Vénus... Alors je sais, là, tout de suite, que nous allons recommencer.

Pourquoi? Question oiseuse. Nous avons besoin l'un de l'autre. Mais je suis un peu embêté, il faut bien le dire. En réalité, j'ai, ou j'aurais envie d'une belle aventure avec Céline, comme mon ami Jean-Pierre s'en est payé une. Mais je ne sais pas trop comment faire. Je suis sûr qu'elle est presque «vierge», car elle n'a pas touché à un homme depuis la dernière fois qu'elle a fait l'amour avec Jean-Pierre, il y a quatre ou cinq mois de cela. Physiquement, même si elle avait une grosse verrue sur la fesse gauche, elle ferait quand même dresser la tête du petit polisson que je traîne avec moi jour et nuit... Céline a justement l'âge d'une maîtresse, pour moi, car je suis à peine plus jeune que Jean-Pierre... Mais elle me fait un peu peur. En réalité, je ne sais comment l'aborder. Quand je travaillais avec Jean-Pierre, comme scénariste, je la voyais de temps en temps, et chaque fois elle était gentille avec moi, mais «son» homme, c'était Jean-Pierre. Et aujourd'hui, même s'il est mort, je suis sûr qu'elle aurait l'impression de le trahir... avec moi. Alors que toi, l'épouse, je sais que je vais te prendre dans quelques heures, et pourtant je suis sûr que tu te sens honnête envers le défunt. Tu as raison, d'ailleurs. Un mari est un homme qui a des «droits», tout comme une épouse. Or un mari mort n'est plus un mari. Une fois enterré, le cadavre ne peut plus aller chez le notaire pour revendiquer. Céline n'avait aucun droit (légal) sur Jean-Pierre. C'est ce qui la lie davantage à lui, moralement...

Donc, pourquoi toi? Parce qu'entre nous, les choses sont simples, tellement simples! Nos deux corps s'accordent merveilleusement aux mouvements de la même danse, celle qui apporte l'illusion de la puissance avec les secousses et le calme harmonieux de l'apaisement.

Du bout des lèvres, j'effleure la joue de Céline qui disparaît tout de suite, fuyant les journalistes qui ont besoin de photos «sensass»... Puis tu t'accroches à mon bras et nous marchons tous les deux en silence, vers un foyer, un nid, un lit...

Au bout de deux ou trois semaines, Josué trouva que Chisasibi n'était pas pour lui.

— De toute façon, j'étais pas allé à Chisasibi pour voir des cabanes. C'était ma fille que je voulais... Quand elle a été avec moi, j'ai voulu la ramener à la maison, parce que moi je voulais mourir dans mon lit.

— Et toi, Sawinne, avais-tu vraiment envie de revenir ici?

— Moi, j'étais montée à Chisasibi seulement pour connaître ma mère, que je n'avais jamais vue. Je n'avais que dix-huit ans et j'étais déjà veuve, plus seule au monde qu'une femme qui a perdu son mari et son fils à la guerre. J'ai pensé au suicide mais pas très longtemps: une partie de la nuit, quand Norbert était couché, mort, dans le lit à côté de la cuisine. Couchée à côté de lui, je n'avais qu'à m'ouvrir les veines et le lendemain matin, on m'aurait trouvée, formant «le» couple tragique avec Norbert, figés tous les deux pour l'éternité, à cause du grand amour...

— Oui, dis-je, il me semble que pour toi, le suicide était le geste logique... toi qui voulais tout, tout de suite, ou rien.

— C'est vrai, normalement j'aurais dû me suicider. D'abord parce que sans Norbert la vie n'avait plus de sens pour moi, et ensuite pour punir Josué. Imagine sa gueule quand il m'aurait trouvée le lendemain matin, sans vie. Peux-tu imaginer son remords?

Josué nous écoutait en mangeant ses œufs, silencieux. Mais je vis tout à coup un petit tremblement, un frémissement de son corps qui me parut inhabituel. Sawinne s'arrêta de parler, comme pour lui passer la parole, mais il restait buté, face à un mur infranchissable. Je lui demandai ce qui se passait. Il finit par dire:

— C'est fou, mais j'avais jamais pensé à ça, qu'elle aurait pu se suicider... Je crois que j'en serais mort, pas longtemps après.

Depuis son retour, c'était la première fois que je le voyais aux prises avec une telle émotion. Il s'arrêta de manger, baissa la tête, comme si sa longue barbe avait soudainement pris du poids, l'entraînant vers le sol, la terre qu'il avait toujours chérie, travaillée comme une chair de femme. La terre qui l'attendait, impatiente...

Dans l'œil de Sawinne, je vis une petite lueur s'allumer. Elle était fière, à quinze ans de distance, de lui darder la conscience avec cette aiguille chauffée à blanc. Assez curieusement, je trouvai que cette cruauté lui allait bien, comme «le deuil sied» à certaines grandes figures de l'histoire, et je fus incapable de la juger méchante pour cette parole. Au contraire, elle me séduisait. Malgré moi, je m'excitais à essayer de deviner la force, la beauté, la haine et la grandeur, tout cela qui bouillonnait en elle comme un volcan. LA VIE! Sawinne brûlait de vie! Et en allant me verser une autre tasse de café, je vis les couteaux sur le comptoir... Au même instant, Sawinne reprit:

— Oui, j'aurais pu le punir de façon terrible en me suicidant, mais je n'avais pas perdu la tête complètement. Même seule sur la neige durcie par le froid, habillée de mon petit manteau noir, c'était encore plus beau que d'être morte. Et puis, m'en aller avant même l'enterrement de Norbert, c'était aussi une belle façon d'être absolue, «jusqu'au boutte», comme je l'avais toujours été.

Sawinne se leva et alla regarder par la fenêtre qui donnait sur la grange, soudainement emportée par un souvenir qui imprégnait son visage d'une nostalgie... **terrible**. Oui, j'insiste. Une nostalgie qui vous arrache les tripes. Alors d'une voix sourde elle poursuivit:

— Nous sommes en octobre... C'est en octobre

que j'allais me coucher dans la tasserie de foin pour attendre Norbert... Il venait me rejoindre et là, nous faisions l'amour tout en haut, près du pignon, dans la pureté du foin, mais aussi dans l'ivresse de la culpabilité, sachant qu'un interdit imbécile nous empêchait de nous aimer au grand jour. Mais c'était bon, au-delà de tout ce que j'avais pu imaginer. Il m'arrive encore de pleurer en pensant à ces moments où le plaisir me déchirait le ventre. Justement parce que ce plaisir n'était pas seulement du plaisir: il se confondait avec la joie, le bonheur, les plus hautes pensées que je pouvais avoir sur la divinité. Secouée de spasmes, hurlante, délirante, défoncée par le membre de mon amant, hurlant comme une chienne, j'atteignais un tel sommet dans l'accomplissement de la copulation, que j'avais l'impression de m'approcher de Dieu, de devenir déesse... La déesse de l'amour. Sous Norbert ou le chevauchant, dans le foin qui sentait encore l'été, j'avais le sentiment de mourir et de renaître en même temps. C'est cela, aujourd'hui, que je trouve fascinant; ce miracle des gestes de l'amour: mort et naissance confondues, parfois même en concordance de phase avec les mouvements physiques... Il est bien possible que j'aie voulu revenir ici à cause de ces souvenirs...

— Es-tu allée voir la tasserie, depuis ton retour? demandai-je.

— Non. Je la regarde de loin, par la fenêtre, comme ça, et c'est assez. J'ai retrouvé mon lit, moi aussi, comme Josué... Même si ce n'est pas pour y mourir.

Ce disant, elle me glissa un regard où je crus deviner une allusion à ce qu'elle venait de dire à propos de ses «séances» avec Norbert. S'agissait-il d'un appel? C'était à peine croyable. Peut-être avait-elle un homme en vue, qui allait entrer dans la maison dès notre disparition, à Josué et à moi. Mais une chose est certaine: plus je la regardais, plus je la trouvais divinement femme (je te reviendrai là-dessus, un peu plus loin). Elle ajouta:

— En réalité, si Josué n'était pas venu me voir, il est probable que je serais revenue quand même, toute seule... à cause des souvenirs, des objets, et peut-être aussi pour voir Josué aveugle...

Pour dire la dernière partie de sa phrase, elle se tourna vers moi, mais ses yeux étaient mouillés de larmes, de sorte que je ne pus savoir si, à ce moment-là, c'était la pitié ou la rancœur qui dominait en elle.

Assez curieusement, ce matin-là Josué ne semblait pas avoir envie de parler. Depuis son retour, il avait raconté lui-même son aventure, donné ses impressions, décrit ses sentiments les plus profonds. Or soudainement il avait l'air de vouloir laisser parler sa fille, la laisser dire tout ce qui lui passait par la tête, comme s'il avait compris que, elle aussi, elle en avait long à raconter sur leur vie de famille. Je demandai à Sawinne:

— Si tu étais arrivée ici avant le départ de Josué, est-ce que tu aurais eu pitié de lui?

— Oui... Même s'il est responsable de ce qui lui est arrivé. Moi, j'ai été seulement un instrument, un bras. C'est lui qui a voulu tout avoir, tout défoncer, tout dépasser, tout posséder, même l'esprit de sa fille. Si on avait eu à le juger, on l'aurait condamné. Mais un condamné, même coupable, a droit à notre pitié.

— Elle a raison, dit Josué, qui sembla sortir d'une longue rêverie. Elle a raison. C'est pour ça que j'ai jamais eu envie de me venger du fait qu'elle m'avait crevé les yeux... Moi privé de la vue, elle privée de Norbert, on était sur le même pied tous les deux, et il fallait qu'on se retrouve, pour marcher ensemble...

— C'est pas tout à fait aussi simple, dit Sawinne. On était infirmes tous les deux, handicapés pour toujours, mais moi j'avais dix-huit ans et toi tu étais déjà vieux. C'est une différence qui compte... Mais il a raison, il fallait quand même nous retrouver et marcher ensemble. Alors j'ai donné ma cabane à la tribu et un beau matin nous sommes partis, le baluchon sur le dos, lui avec son bâton à la main, accroché à mon bras...

— Vous êtes partis à pied de Chisasibi?

— Oui. C'est fou, hein, mais on avait la certitude, sans trop savoir pourquoi ni comment, qu'il était important de marcher...

Ma chère Marielle, Josué et Sawinne étant en marche vers Saint-Anaclet, à deux mille kilomètres de leur point d'arrivée, nous allons faire un petit saut dans le temps et nous retrouver à Québec tous les deux. (Tous les deux... une façon de parler... Car ton personnage va changer de corps.).

• • •

Une petite pause, pour changer de Marielle.

• • •

Car c'est à Québec que nous avons marché le plus, nous aussi. Tu te souviens? Main dans la main, rue Saint-Jean, descendant et remontant, allant nulle part, en réalité, comme si ce va-et-vient avait été une fin en soi, comme on travaille pour travailler, dans un camp de concentration. Oui, nous marchons tous les jours, comme Josué et Sawinne. Nous allons sur les plaines d'Abraham, parce que c'est beau, et surtout parce qu'il y a des bosquets à l'ombre desquels on peut s'embrasser pudiquement sans déranger le reste du monde. Car tout est pudique entre nous. Comme entre Josué et Sawinne. Nous marchons vers l'avenir, avec un idéal MAGNIFIQUE! Le sexe, entre mes jambes du moins, fait partie des *impedimenta*. Il faut le traîner. Or il est lourd, encombrant, même s'il n'est pas énorme... Alors on est bien obligé de penser à lui, tout comme il faudrait bien s'occuper d'une souris qui sauterait dans votre potage...

À ce moment-là, je suis tellement heureux d'être étudiant, de fréquenter l'université, comme n'importe quel fils de bourgeois, moi le petit garçon du Bas-du-Fleuve, fils de cultivateur comme tant d'autres Québécois, si fier de mon «statut» d'étudiant que je n'étudie pas tellement. Il me suffit d'être étudiant, semble-t-il. Le reste me viendra, plus tard, tout naturellement. Quelle effarante insouciance!

Mais peut-il en être autrement pour le «vert» que je suis? Je sors tout juste d'une coquille et je découvre le monde. Et le monde, c'est la ville de Québec, l'université, la liberté de me promener dans la rue au bras d'une jeune fille, de me coucher à l'heure que je veux. Ce n'est pas rien!

Si je le voulais, je pourrais même faire l'amour! Te rends-tu compte! Mais les relations sexuelles entre gens non mariés sont défendues par notre Mère la Sainte Église catholique. Et j'obéis à ma Mère divine, après avoir obéi à ma mère de chair que j'ai abandonnée avec ses quinze autres enfants, sur son coin de terre. Je ne touche pas tes seins, ni ton sexe... Malgré le tourment!

Toi, tu as dix-huit ans. Exactement l'âge de Sawinne au moment où elle baisait comme une damnée dans la tasserie, avec mon frère Norbert... Le mot «contraste» me semble tout à fait inadéquat pour décrire cette situation. Un océan nous sépare de Norbert et Sawinne! Un gouffre! Un Himalaya! À dix-huit ans, Sawinne a connu, comme je te le rapportais un peu plus haut, le délire sacré de la mort-naissance provoquée par l'orgasme! Toi, à cause de mon «innocence», tu as droit seulement à mes lèvres sur ta bouche, et à mon bras qui entoure doucement ta longue taille... Je ne sais rien de la violence qui sommeille au cœur de ton utérus qui attend, qui m'attend et qui se lasse en silence. Car en ce domaine, la femme vient au monde avec la maturité dans sa chair. Inutile d'en faire une tarte et de pleurer sur son glaçage dégoulinant. Rions et passons!

Sawinne allait continuer le récit de leur «longue marche» lorsqu'on entendit le grondement d'un tracteur qui montait la côte. La machine énorme s'arrêta près de la maison. Comme les vieilles paysannes des années trente, je m'approchai de la fenêtre pour voir qui venait. Un homme d'une quarantaine d'années montait les marches du perron, lentement, comme tous les cultivateurs, dont le rythme intérieur n'a pas tellement changé malgré l'industrialisation des fermes. Il frappa à la porte et j'allai ouvrir. À peine m'avait-il salué qu'il dirigeait son regard vers Sawinne. À ce moment-là elle se penchait pour mettre une assiette dans le lave-vaisselle. Dans chacun de ses gestes, Sawinne faisait parler son corps d'une façon irrésistible. Pourtant elle ne posait pas, même si elle était consciente de son corps. Elle dansait, comme je l'ai déjà dit, je crois. Et cela, je l'avais remarqué plusieurs années plus tôt, quand elle avait quinze ans, à l'enterrement de Josaphat. Ce jour-là, Josué avait tué un taurillon pour donner à manger à tous ces gens qui ne partaient pas et qui n'avaient pas été invités. À l'abattoir, il avait demandé à Sawinne d'aller chercher un couteau à boucherie à la maison (l'un de ceux qui sont sur le comptoir en ce moment) et je l'avais vue marcher, balançant le couteau au bout de son bras, envoyant des jets de lumière à gauche et à droite, le mollet nu, la saignée du genou frémissante, pendant qu'un sourire illuminait son visage, disant à tous ceux qui la regardaient: «Il n'y a pas de limites au bonheur que j'éprouve à laisser vivre mon corps...» Car c'était cela, la principale caractéristique de Sawinne. Chez elle, rien n'était forcé, ou commandé. Sa volonté était toujours en concordance de phase avec les besoins de sa nature. On ne pouvait pas la voir sans éprouver un appétit formidable pour ce qu'elle offrait.

— Qui c'est? demanda Josué en direction de l'homme qui examinait sa fille.

Sans prendre la peine de se tourner vers le vieillard, l'homme répondit:

— C'est moi, Julien... Je suis arrêté prendre une gorgée d'eau en passant.

Comme Sawinne était occupée, j'amorçai le mouvement vers l'armoire pour prendre un verre, mais la fille de Josué m'avait déjà précédé. Elle remplit le verre au robinet, puis elle s'approcha de l'homme, lui tendant le verre et le regardant avec une telle impassibilité que j'en eus froid dans le dos. Le verre vide, elle le reprit en demandant:

— Encore un?

— Non... Merci. Elle est ben bonne mais là je suis correct.

Sawinne alla déposer le verre sur le comptoir, près des couteaux, puis elle revint se placer devant Julien et, croisant les bras dans un geste harmonieux de ballerine, elle souleva son pull de laine et le fit passer par-dessus sa tête.

— Où est-ce que tu laboures, Julien? demanda Josué.

— Heu... Dans les terres... fortes... C'est ça, les terres fortes...

Julien avalait sa salive, ne sachant plus s'il devait se réjouir ou s'attendre à quelque événement de nature mystérieuse, car maintenant Sawinne dégrafait son soutien-gorge, et sa poitrine, pure comme la terre au matin de la création, sautait à l'air libre.

— Ça doit être sec pas pour rire, là, parce qu'on n'a pas eu beaucoup de pluie, disait Josué.

— Heu... Sec, oui, ben sec... J'ai déjà cassé deux pointes de charrue...

Sans le quitter des yeux, Sawinne détachait son jean et le faisait glisser par terre, après avoir enlevé ses pantoufles roses, ornées d'une petite boule de poils synthétiques.

— En as-tu encore pour longtemps, avec les labours?

Josué n'obtint pas de réponse, car Julien suivait le mouvement de la petite culotte de Sawinne qui coulait le long de sa cuisse vers ses chevilles fines, libérant le pubis de cette entrave à la vue. Alternativement, elle releva les genoux pour faire sortir ses pieds de cet ultime et minuscule vêtement, regardant toujours Julien avec ce visage tellement impassible que l'on finissait par y mettre soi-même du dédain, sinon du défi.

— Julien est-y parti? demanda Josué.

— Non, je suis en train de lui montrer mes fesses et ça lui coupe la parole, dit Sawinne en pivotant sur elle-même, lentement, pour bien laisser voir son anatomie.

J'avais vu un certain nombre de femmes dans

ma vie, mais jamais je n'avais vu un corps chanter. C'était pourtant le mot qui me venait à l'esprit pour dire l'harmonie de celui-là, qui tournait dans la lumière du matin.

Quand elle eut fait deux tours sur elle-même, Sawinne s'approcha de Julien et lui demanda d'une voix glaciale:

— M'as-tu assez vue?

Incapable de soutenir son regard, Julien mit la main sur la clenche de la porte, amorçant un mouvement de fuite. Mais avant qu'il n'ait eu le temps de sortir, elle lui cria:

— Va dire à tous tes amis que t'as vu mon cul, mais que c'est pas pour toi, ni pour eux!

Quand la porte fut refermée, elle éclata de son plus beau rire, son rire plein de santé qui la rendait si désirable, débordante de sensualité.

— T'es-tu vraiment déshabillée devant lui? demanda Josué.

— Oui.

Comme Josué avait l'air incrédule, je lui confirmai la chose. Il eut alors un petit rire complice, puis il dit, faussement coléreux:

— T'as pas honte de te conduire comme une fille publique devant un homme marié, pis devant ton oncle, en plus!

— Norbert était aussi mon oncle...

— Mais pourquoi t'as fait ça? demandai-je, pendant qu'elle se rhabillait devant nous, tout à fait à l'aise, comme si elle avait mangé une pomme.

— Parce que je le connais bien, Julien. Il est entré à la maison pour me voir. Ça jase, dans la paroisse. «Sawinne, la fille qui couchait avec son oncle Norbert, elle est revenue avec Josué, son père...» Je suis un objet de curiosité, forcément... Pour lui, Julien, c'est encore plus intrigant, parce qu'il a essayé de me tasser dans le coin, quand j'avais seize ans. Ça lui a valu une bonne gifle. Ensuite, comme tout le monde, il a su que j'avais été la maîtresse de Norbert, alors tu comprends...

À ce moment-là, elle enfila son pull et sa tête émergea du col roulé, fière, pendant que le mouvement de ses bras faisait ressortir la forme parfaite de sa poitrine. Puis elle passa la main dans ses cheveux noirs pour les soulever mais aussi, me sembla-t-il, pour le plaisir d'en éprouver la douceur à ses doigts. Geste automatique de femme qui mesure sa sensualité, un peu comme le chat éprouve l'élasticité de ses muscles en s'étirant chaque fois qu'il se lève. Ce geste fit remonter un beau souvenir à ma mémoire: quand Josaphat battait de l'avoine, après avoir enlevé le sac plein accroché à la batteuse, il l'ouvrait et enfonçait sa main dans la récolte puis il la ressortait pleine de grains qu'il laissait couler entre ses doigts pour en apprécier la qualité. Alors il disait, presque invariablement:

— 'Est belle en blasphème!

Or ce n'était pas seulement parce qu'il était heureux d'avoir de la belle avoine ou du beau blé qu'il répétait ce geste trois ou quatre fois de suite. C'était aussi parce qu'il éprouvait un plaisir extraordinaire à toucher ces grains durs qui coulaient sur sa peau. Sans doute pensait-il à la chair de sa femme, à ce moment-là...

Je ne sais pas pourquoi mais les cheveux de Sawinne, glissant entre ses doigts, faisaient naître en moi le même plaisir. Et soudain, pour la première fois, je fus un peu jaloux de mon frère Norbert, qui avait eu le bonheur de posséder une femme comme elle. Mais en même temps j'avais presque envie de pleurer parce que le plaisir de vivre était là, palpitant, gonflant les chairs comme la sève qui force les tiges à sortir de terre, inlassablement. Or les couteaux étaient sur le comptoir, attendant que je les aiguise...

Alors une idée folle me traversa l'esprit: Sawinne s'était dévêtue devant Julien pour le défier, pour se moquer de lui, mais se pouvait-il qu'elle l'ait aussi fait pour moi? Je refoulai cette hypothèse aussitôt, de toutes mes forces, me disant que je devais garder la tête froide. La fin approchait, et il ne fallait pas me lancer dans ce genre de tourment, qui est le propre des jeunes...

Donc, ma chère Marielle, pendant que nous nous promenons dans l'insouciante rue Saint-Jean, Sawinne se déshabille devant son père aveugle, devant un homme qui la désire, et devant moi qui me remplit les yeux, constatant, à mon grand désarroi, que ma soif de voir est aussi vive que par le passé. Mais ce n'est pas là le plus important, du moins pour l'instant. Ce qui m'amuse, c'est de penser que Josué, aveugle, rigole parce que sa fille se déshabille devant deux hommes, et que ton père me déteste parce qu'il te désire. Il nous a fait filer par un homme à sa charge sur les plaines d'Abraham, pour nous épier... Nos baisers, si chastes, lui font mal. Tu me révèles certains de ses comportements à ton égard et à celui de tes sœurs. Moi, je ne comprends pas très bien ce qui se passe en lui... Je n'ai pas tellement le goût de réfléchir à tout cela. Je t'aime, et je ne peux même pas imaginer que ton père en souffre... Comme c'est étrange, cette toile que nous tissons tous à des années et à des centaines de kilomètres de distance... N'est-ce pas? Une toile dont la trame est faite de quelques fils seulement, toujours les mêmes que nous entrecroisons, fébrilement, comme les doigts de quelques mains qui seraient occupées à construire et défaire le château en Espagne de l'amour.

Je ne peux pas voir tes seins, ni tes fesses, ni ton sexe, et je m'arrange pour vivre comme si cela n'avait pas d'importance. Il est vrai que ce n'est pas capital. Je suis un jeune homme sérieux qui aime bien parler d'avenir, parce qu'à ce moment-ci de ma vie, tout est à construire. Tout! J'ai tellement de temps devant moi et il y a tant à faire que je ne fais pas grand-chose, à part te tenir la main et rêver. Ce qui n'est pas si bête, car je sais aujourd'hui que ce que j'ai bâti en rêve, en te regardant dans les yeux, fut plus tard un matériau très important pour ma vie d'homme. (En passant, je voudrais te dire que cette expression, «ma vie d'homme», me fait rire parce que je sais, maintenant, que je suis resté un enfant. À propos, il faudrait bien que je te parle de ma mère, avant de mourir... Dans le monde qui tourne autour de moi depuis longtemps, ma mère, la femme de Josaphat, n'existe pas!)

— Tu veux pas venir faire un tour dehors, Josué?

— Si tu veux... On n'a pas grand-chose à faire, de toute façon.

Il se leva, mit sa veste de laine, exactement avec les mouvements saccadés de notre père Josaphat, puis je lui pris le bras pour sortir de la maison. C'était encore une très belle journée d'octobre, avec un croassement de corneille attardée montant parfois des terres noires, le ciel bleu, la rive nord et le fleuve apparemment immobile, parce que trop large. Josué s'arrêta sur le haut de la côte, entre l'abattoir et la maison, tourné vers le nord. Immobile, la tête redressée dans la mesure du possible, car il était maintenant assez voûté, il avait l'air d'attendre... une apparition. Au bout d'un moment, la voix brisée, il me dit:

— Dis-moi ce que tu vois, veux-tu? Es-tu capable de bien me dire ce que tu vois?

Il me faisait tellement pitié que je lui aurais bien donné mes yeux pour les quelques jours qui nous restaient à vivre. Puis il me vint à l'esprit que je ne pouvais pas lui dire exactement ce que je voyais, car on «interprète» toujours ce qui se présente à notre vue, comme les événements ou les paroles d'un autre sont déformés par nos préjugés ou nos états psychologiques au moment où nous les percevons. De plus, je m'avisai que ce paysage grandiose, je l'avais si souvent admiré et décrit que je ne pouvais plus recommencer, même pour une dernière fois. Alors je lui demandai:

— Est-ce que ça t'arrive encore de penser à notre mère?

— Pas souvent, non... Mais je vois pas le rapport. Je te demande de me dire ce que tu vois, au nord...

— Tout ce qui nous arrive, dans la vie, a un rapport avec notre mère...

— Vas-y, fais de la philosophie si ça t'amuse...

Quand il m'arrivait de pontifier un peu, il se moquait de moi en disant que je faisais de la philosophie, ce qui, pour lui, était l'essence même de la futilité. Mais quand il m'arrivait d'énoncer quelque chose qui avait un certain poids de vérité, il savait le reconnaître et en faire son profit, n'hésitant pas à me le resservir un peu plus tard, si je faisais mine de l'oublier.

— Je suis incapable de te dire ce que je vois... Ou plutôt je peux te le dire à peu près, mais je ne suis pas sûr que tu vas le voir comme moi... Parce que toi, tu as en mémoire des images que tu as transformées pendant plusieurs années, en les embellissant. Je peux te dire n'importe quoi, ça ne correspondra jamais au paysage que ton imagination façonne depuis le jour où tu as perdu la vue. Et c'est très bien comme ça. À ta manière, tu as été un peintre, et il est bon que tu meures avec le tableau qui est en toi.

Je lui jetai un coup d'œil rapide. Il avait l'air impassible. Alors je continuai:

— C'est pour ça que je te parle de notre

mère... Et à notre âge, je devrais peut-être dire... «maman»... Je te parle d'elle parce qu'il y a plusieurs années, j'étais venu faire mon tour ici, en été et en vacances, comme un bon petit homme de la ville que j'étais devenu. Elle était sur la galerie, dans sa chaise «berceuse», et elle regardait vers le nord. Maman avait cinquante-cinq ans... Or à cet âge-là, au moment où elle regardait vers le nord, comme nous deux en ce moment, elle ne le voyait pas. Par ses yeux embrouillés de larmes, c'est sa chair défraîchie qu'elle voyait, son utérus ravagé par quinze grossesses, ses intestins rongés par un cancer, ses dents tombées après quelques années de mariage, en somme, l'usure de son corps qui était celle, justement, d'une bête de somme. La vie, la chose la plus merveilleuse sur terre, la vie l'avait broyée. Et le comble du ridicule, c'est que, après avoir fait tant d'enfants, il n'y en avait pas un pour prendre la place du père qui vieillissait. Toi, tu étais encore jeune et tu n'étais pas le candidat idéal, à leurs yeux, ce qui laissait présager les chicanes qui n'allaient pas manquer de s'élever, d'ailleurs.

Voilà ce qu'elle voyait, notre mère, en regardant vers le nord, et j'ai pensé qu'il était temps, pour toi, de te rapprocher d'elle, en juxtaposant ton souvenir à ses images à elle.

Je parlais en regardant vers le nord, qui était magnifique, justement, plus beau que jamais, et Josué était à ma gauche. Quand je me tus, je restai un long moment dans la même position, attendant un mot de mon frère. Mais il ne disait rien. Je me tournai vers lui. Deux grosses larmes se brisaient à la sortie de ses yeux morts. Il me prit le bras, le serra à me briser les muscles, puis il dit:

— J'ai jamais parlé de ma mère à personne. J'ai jamais dit qu'elle était belle, ou bonne, et je lui ai jamais rien dit à elle non plus. Parce que je l'aimais trop. Pour moi, elle était une espèce de sainte, comme on dit... Et j'ai dû lui faire de la peine en restant loin d'elle... Quand elle était sur son lit de mort, je lui ai serré la main, et je voulais qu'elle comprenne, qu'elle devine ce que je voulais dire, que je l'aimais... J'ai jamais su si elle avait compris... C'est peut-être pour ça que je me suis tellement chicané avec Josaphat, notre père... C'est ben curieux, tout ça...

Le plus drôle, ma chère Marielle, c'est que nous n'avions jamais parlé d'amour, mon frère et moi. Il faut dire que, dans la famille, les conversations portaient sur des sujets plus importants, ou plus pratiques.

Alors je demandai à mon frère:

— As-tu fait ton testament, Josué?

— Oui. Je l'ai fait avant de partir pour aller retrouver Sawinne.

— Puis? À qui as-tu donné toutes tes terres?

— À Sawinne, c't'affaire!

— Même avant de partir? Sans savoir si tu allais la retrouver?

— Oui... Parce que j'avais peur de mourir en route... Parce que si je l'avais pas retrouvée, la police, elle, pouvait le faire après ma mort et lui apporter le testament...

— Est-ce qu'elle le sait, Sawinne, qu'elle hérite de tout?

— Oui.

— Mais on dirait qu'elle a pas envie de se marier, faire des enfants qui prendraient la relève...

Josué soupira, haussa les épaules, impuissant, puis il dit:

— Moi, j'ai fait ce que j'avais à faire. J'ai bâti quelque chose d'énorme. Tout ça va probablement tomber en ruines, mais j'y peux rien.

L'empire britannique était plus grand que le «royaume» de Josué, et pourtant...

Nous avons marché une partie de la matinée sur la ferme, allant jusque dans les «terres fortes» pour voir Julien labourer. Quand il passa près de nous, ce dernier nous salua mais, contrairement à ce que font tous les cultivateurs, il ne s'arrêta pas pour «jaser» un petit peu. La scène qu'il venait de vivre avec Sawinne l'embarrassait encore. Ce qui me faisait rire sous cape, mais je n'allais pas rire très longtemps...

Josué me demanda de le conduire jusqu'au bord d'une raie de labour. Quand il y fut, il s'agenouilla lentement, péniblement, puis il se pencha, se collant le nez à l'humus fraîchement retourné, puis il aspira cette odeur qui vient des entrailles de la terre, générée par les sucs dans lesquels plongent les racines et dont les plantes se nourrissent. D'où notre survivance sur cette planète mystérieuse, notre sève et notre sang, le gonflement...

Quand je l'aidai à se relever, il avait l'air d'un homme ivre. Alors il me dit:

— C'est à cause de cette odeur-là que j'ai toujours aimé labourer. En réalité, le labour, pour moi c'était aussi bon que l'amour...

Je prends la peine de te rapporter ce petit bout de phrase, Marielle, car au moment où je te tiens par la main en marchant dans la rue Saint-Jean, je suis trop innocent pour te labourer. Je te «respecte» trop... Aujourd'hui, je n'ai même plus envie d'en rire!

En revenant vers la maison, quand nous arrivâmes sur le haut de la côte en face de la grange, il s'arrêta un moment, exécuta un lent mouvement de gauche à droite, comme une caméra qui balaie un vaste paysage dans un long panoramique. Son visage exprimait la calme sérénité des bouddhistes contemplant la vérité de l'être total. Il dit:

— Je pense que le nord a jamais été aussi beau... Je le sens...

— Ce qu'on fait pour la dernière fois est toujours plus beau, dis-je.

Et au lieu de pleurnicher, Josué éclata de rire comme autrefois, dans ses jeunes années, quand il refusait de pleurer devant les situations insupportables. Ensuite il me demanda de le conduire au hangar qui est là depuis toujours, dans le champ qui jouxte celui de son voisin du côté est. Moi aussi, j'avais envie d'y aller.

J'ouvris le panneau en le faisant glisser sur son vieux rail mangé par la rouille, et je découvris le gros semoir et la grosse batteuse de Josué. Dans la pénombre, les deux instruments avaient l'air de dormir l'un en face de l'autre, comme le père et l'enfant: machine à semer, machine à récolter. Josué les caressa doucement, la main tremblante, le visage empreint de nostalgie.

— Dans la paroisse, j'ai été le premier à avoir une grosse batteuse comme celle-là, dit-il.

— Es-tu encore fier de ça, comme dans le temps?

— Non... Aujourd'hui, je suis seulement content de l'avoir fait. J'ai prouvé que j'étais pas un trou de cul, tu comprends? Ça suffit.

À l'extérieur, je vis la vieille moissonneuse de Josaphat qui pourrissait lentement sur le rocher, exposée à tous les temps. C'était une moissonneuse qu'il fallait faire tirer par trois chevaux, tellement elle était lourde! Aujourd'hui, elle avait l'air d'un jouet dérisoire. Je fis approcher Josué de la machine devenue ferraille et lui mis la main sur le siège que le temps avait tordu, défiguré, rongé.

— Tu te souviens? Pendant des années, on a vu Josaphat trôner sur ce siège-là, comme s'il avait été Dieu le Père...

— C'est exactement ce qu'il était, Dieu le Père, dit Josué.

Puis il ajouta, sur le ton de la confidence:

— Moi, j'ai été plus fort que lui, mais j'ai jamais été aussi... dieu que lui... C'est la seule chose que je regrette. Josaphat était un homme pas comme les autres, un homme qui aurait pu être un saint, ou quelque chose comme ça...

Le midi, à table, Sawinne continua le récit de leur marche. Le premier jour, ils se rendirent à Radisson, où ils couchèrent dans une auberge toute neuve, la seule de l'endroit.

— Le soir, Josué était à bout, mais le fait de marcher ensemble tous les deux nous avait fait du bien, moralement. Comme je te l'ai déjà dit, nous avions compris qu'il fallait marcher, manger de l'espace, sans trop savoir pourquoi. C'était vrai. Faire la route ensemble, à pied, c'était comme nous racheter, nous faire pardonner nos bêtises... Je dis «bêtises» parce que pour moi, le mot péché n'a pas tellement de sens. En tout cas, c'est vrai. À mesure que j'avançais, j'avais l'impression de redevenir pure. Le fait, aussi, de tenir Josué par le bras me faisait du bien. Entre nous, les ondes recommençaient à circuler, comme au temps de mon enfance, avant l'arrivée de Norbert...

Je la regardais attentivement au moment où elle prononça le nom de mon jeune frère, et pour la première fois depuis leur arrivée, je remarquai l'expression de son visage. Il m'apparut évident qu'elle l'aimait encore! Ou qu'elle radotait...

Est-il possible de radoter, en amour, Marielle? Je veux dire, continuer à se comporter comme si la personne aimée était toujours là, au fond de son cœur et de son ventre, même si elle est partie depuis plus de quinze ans? Toi, jeune femme amoureuse qui a peur de son père, tu devrais le savoir... Quoi qu'il en soit, Sawinne prononçait le nom de Norbert en me regardant, et son visage chantait, exprimait de la joie, du désir, de la satisfaction, ce quelque chose qui est indescriptible et que l'on exprime avec ses yeux et sa bouche, quelques secondes avant de caresser l'être que l'on aime... Il me vint à l'esprit que, même mort, Norbert avait de la chance.

Entre Radisson et Matagami, il y a surtout de l'espace: au-delà de sept cents kilomètres peuplés d'aucun animal humain. Là-bas, même les ours peuvent avoir peur. Alors Josué et Sawinne acceptèrent l'offre d'un camionneur et ils firent route avec lui, somnolant au ronron de l'énorme machine, répondant aux questions du chauffeur, qui était bien curieux de savoir ce que faisait une belle fille comme Sawinne avec un vieillard aveugle.

— J'étais assise entre Josué et le chauffeur, dit Sawinne, et naturellement il ne pouvait s'empêcher de me frôler la cuisse de sa belle grosse patte quand il passait les vitesses. Je le laissai faire à plusieurs reprises, sans réagir le moindrement, ce qui lui laissa croire qu'il pouvait aller plus loin. À un moment donné, il posa carrément sa main sur ma cuisse en me clignant de l'œil, signe d'appel qu'une femme, même retardée mentale, trouve ridicule. Alors je lui dis: «Attention, Toto, c'est moi qui ai crevé les yeux de mon père, avec une fourchette... J'en ai justement une dans mon sac...» J'ouvris le plus petit de mes deux sacs et, effectivement, j'en sortis une fourchette aux dents pointues... Il blêmit, Josué eut son petit rire fier de vainqueur, et tout le reste du voyage se passa sans incident, c'est-à-dire que ce fut d'une platitude mortelle.

Sawinne se leva pour aller porter son assiette vide sur le comptoir et je la suivis du regard dans son mouvement, les yeux rivés à ses hanches que j'avais vues à l'air libre quelques heures plus tôt, et je songeai à ce pauvre camionneur qui n'avait pu faire autrement que de la désirer.

Des hanches de Sawinne, mes yeux allèrent aux deux couteaux qui étaient encore sur le comptoir, toujours à la même place. Ils étaient là, juste à la hauteur du bassin de la jeune femme, de cette fontaine pleine de vie, de bonheur en puissance, de plaisirs... J'en eus le vertige. Allais-je finir par avoir la force de les aiguiser?

Josué et Sawinne décidèrent de marcher entre Matagami et Val-d'Or, distance qu'ils parcoururent en quatre jours. Ils avaient décidé d'arriver en Abitibi par leurs propres moyens, par leurs membres, comme les immigrants venus des steppes de l'est qui ont traversé le détroit de Béring il y a plusieurs milliers d'années.

— Mes lointains ancêtres ont fait cette marche, dit Sawinne, et pendant que j'avançais, soutenant Josué, j'avais l'impression de boire à la source de ma culture, ma culture à moi, et non pas à celle des Blancs qui nous ont détruits...

Elle s'arrêta, me regarda en clignant de l'œil et elle éclata de rire.

— Je dis ça pour te faire rigoler, mon oncle, parce que la culture, cette chose par laquelle on se «distingue», paraît-il, n'existe presque plus, nulle part dans le monde.

— Tu as raison, jusqu'à un certain point, mais je trouve qu'il est futile d'en parler maintenant. Quand nous serons morts, Josué et moi, tu pourras faire des conférences si tu veux, sur la disparition des différences dans les sociétés, mais pour l'instant, raconte-moi plutôt la suite de ton voyage.

Entre Val-d'Or et Montréal, il ne se passa rien de particulier, à part le fait que Josué et Sawinne usèrent plusieurs paires de chaussures, connurent des dizaines de personnes qui les firent monter dans leurs voitures. Excepté peut-être le fait que Sawinne se remplit les yeux de paysages magnifiques, et qu'elle devint de plus en plus proche de son père, gommant de sa conscience la culpabilité qu'elle éprouvait parce qu'elle l'avait aveuglé, pendant que de son côté, Josué se libérait de l'amour incestueux plus ou moins conscient qui l'avait rendu jaloux de Norbert.

Sawinne parlait d'une voix tranquille en rangeant la vaisselle, en cousant ou en lavant du linge, harmonieuse et souple dans ses mouvements, posant de temps en temps ses yeux noirs sur moi, esquissant un sourire doux qui s'harmonisait parfaitement avec le soleil fatigué de l'automne. De plus en plus, Josué restait silencieux. J'avais l'impression que, au cours de notre promenade sur la ferme, il avait dit adieu à beaucoup de choses et qu'il se refermait sur lui-même.

Le soir, dès que je fus au lit, il y eut en moi un étrange mouvement du sang, à peine perceptible, semblable au bourdonnement lointain d'un moustique, au temps de la canicule.

Cette «chose» venait du fait que, à peine avais-je fermé les yeux, une image s'installa dans la rétine de ma mémoire. C'était le pouce de Sawinne, la phalangette ornée de son ongle fin, qui faisait glisser sa culotte pour la faire descendre le long de sa cuisse. Rien que cela: le pouce, plus précisément ce lobe de chair qui avait l'air de caresser le fin tissu dans un mouvement régulier, dépourvu d'hésitation, comme si ce geste avait été la chose la plus naturelle du monde. Or ce pouce m'entrait dans la chair comme une lame empoisonnée. J'ouvris les yeux pour ne plus le voir, ramenai ma main droite sur ma poitrine. Lentement, mes doigts se refermèrent sur eux-mêmes. Alors je vis les doigts de Sawinne se refermer également, pour rejoindre son pouce et former cette cavité dans laquelle mon membre voulait se réfugier.

C'était suffocant. Je me levai, enfilai mon pantalon et sortis de ma chambre. La porte de Sawinne était ouverte, comme au temps de Norbert, mais je ne l'entendais même pas respirer. Dormait-elle encore comme une enfant, paisible, sans remords ni désir?

En bas, dans la cuisine, je m'assis dans la chaise de Josué, à la noirceur, et je restai immobile comme dans ma petite chambre d'étudiant, à Québec, quand je passais des heures assis sur mon lit à essayer d'imaginer tes mains sur mon sexe, Marielle... Affreux! Après toutes ces années, je revenais au même point dans l'évolution de mes activités sexuelles. La boucle se refermait! C'était la fin!

Après une bonne heure de «délectation morose», je me levai et marchai à tâtons vers le comptoir et touchai les deux couteaux qui m'attendaient. Josué ronflait comme aux beaux jours de sa puissance. C'était tout ce qui lui restait de sa force. Ce qui me rendait fou, c'était de penser qu'une fois enclenché, ce processus de fantasmes sexuels ne s'arrête plus. Si on ne donne pas satisfaction au désir, on détraque la machine... Et effectivement, après les mains de Sawinne, la forme de ses doigts effilés, ce fut la couleur de sa peau qui commença à me torturer. Une peau foncée, certainement très douce, comme la peau de tous les Asiatiques. Je voulais la toucher, la baiser, la lécher, cette peau juvénile...

Bien sûr, mon sang avait afflué, comme au temps de mes forces d'adulte, et je promenais devant moi ce pauvre pilon charnu qui ne pouvait trouver où se loger, pareil à une petite bête perdue... Jamais je ne m'étais senti aussi ridicule. Mais comment faire taire le désir? En le satisfaisant, bien sûr, mais il n'était pas question, pour moi, d'oser m'approcher de Sawinne. Je suis sûr qu'en cela, Marielle, tu m'approuves, malgré ta largeur d'esprit! Je rigole un peu, excuse-moi... Au fond, tu m'en veux un peu de ne pas te renverser derrière les broussailles des plaines d'Abraham, de ne pas te posséder, là, comme une bête. Dans ce domaine, les femmes sont toujours plus mûres, plus «hommes» que les hommes.

Suis-je en train de blesser ta mentalité de féministe avant l'heure?

Toujours est-il que je ne trouvai le sommeil qu'au petit matin. Un sommeil troublé par des rêves que je ne vais pas te raconter, puisque ça ne t'intéresse pas. Je dormis plus tard que d'habitude. C'est la voix de Sawinne qui m'éveilla, m'appelant pour le petit déjeuner. À table, elle me regarda avec un sourire terriblement ironique.

— T'as mal dormi, on dirait... Es-tu malade?

— Non.

— Sûr, sûr?

— Sûr...

Entre son pouce et son index, elle tenait délicatement un morceau de toast qu'elle portait à sa bouche qui s'ouvrait, et toutes ces maudites muqueuses palpitantes de vie étaient visibles; rieuses, gloutonnes et visibles. Le printemps était dans sa bouche!

— Pourtant, tu t'es relevé, hier soir... Je t'ai entendu descendre ici, dans la cuisine...

— Oui, mais c'est rien... Raconte-moi plutôt le reste de votre voyage.

— D'accord... Comme je te le disais hier, entre Val-d'Or et Montréal, le voyage a été plutôt banal. Fatigant et ennuyeux, à part le fait que de jour en jour, je me rapprochais de plus en plus de Josué. Il y avait même des moments où j'avais l'impression de devenir une espèce de Josué au féminin, tu vois ce que je veux dire?

— Oui, je crois. Ta conscience se superposait à la sienne, parce que vous aviez le même but tous les deux et que vous faisiez les mêmes choses, en même temps, tous les jours...

— Oui... Mais à Montréal, ç'a été différent.

— On a fait une rencontre extraordinaire! dit Josué, qui sembla tout à coup sortir d'une longue léthargie.

— Attends, Josué. Je suis pas encore rendue là! dit Sawinne sur un ton de maîtresse d'école qui gronde un mauvais élève.

J'eus l'impression, tout à coup, qu'elle enterrait moralement son père. Il était temps qu'il parte... Or juste à ce moment-là, elle se levait pour desservir, et je vis ses fesses, que ma mémoire dénuda à la vitesse de la lumière. Dans ma tête, les bribes d'idées se bousculaient. Par exemple, avant d'être «père», comme tous les pères, Josué avait glissé, tout gluant, dans un entrecuisse de femme. Et c'est là que je me voyais, que je posais ma tête de jeune vieillard... Hélas, ce retour aux sources était impossible!

Sawinne continuait:

— Norbert m'avait raconté qu'en arrivant à Montréal avec son taureau, il avait rencontré un clochard, un fils de cultivateur qui avait mal tourné, et qui l'avait amené sur le haut de la montagne pour passer la nuit. Le lendemain, en redescendant pour se rendre au port, il avait vu le soleil se lever sur le fleuve. Norbert était incapable de trouver les mots pour dire comment il avait trouvé ça beau. Alors j'ai voulu voir la même chose et j'ai forcé Josué à monter sur la montagne pour y passer la nuit.

— Norbert me l'avait raconté à moi aussi! dit Josué sur un ton presque offensé.

— Oui mais c'est pas pareil! Si Norbert était ton frère, il était mon amant. On ne dit pas la même chose à une maîtresse qu'à son frère...

— Bon, bon, bon, bougonna Josué. Et Sawinne, superbe, continua:

— On a donc passé la nuit à la belle étoile, dérangé seulement par des pauvres qui s'envoyaient en l'air dans les buissons. En réalité, Josué, lui, ça l'a pas dérangé, il ronflait.

— Parce que moi je connais ça, faire l'amour dans les buissons. C'est comme ça que je t'ai faite! dit Josué en riant.

— Touché... Le lendemain, à l'aube, on a commencé à redescendre, et c'est vrai, le soleil qui se lève, vu du mont Royal, c'est quelque chose de merveilleux. J'ai compris l'enchantement de Norbert, en l'imaginant sur son taureau, en route pour une mission sacrée. Il devait avoir l'impression de marcher vers le commencement du monde, vers une grande lumière. C'est ce qui lui est arrivé, en fait, et c'est ça que j'ai senti en lui, quand je l'ai vu pour la première fois. Norbert avait de la lumière dans son être...

Toujours est-il qu'après avoir descendu la partie sauvage du grand parc, on s'est retrouvés dans les rues qui sillonnent le flanc de la montagne.

— C'est là que c'est arrivé! dit Josué, impatient.

Sawinne lui jeta un regard de mère qui se retient pour ne pas gifler son fils impertinent. J'avais remarqué deux choses dans son attitude depuis le jour où elle s'était dévêtue devant Julien: elle se comportait devant moi avec une très grande pudeur, et elle prenait Josué de haut. Un peu comme les brus d'autrefois, qui devaient endurer les parents de leur mari à la maison, les nourrir et les soigner en attendant qu'ils meurent. Le temps de Josué était fait...

— Oui, c'est là que c'est arrivé. Tout à coup, on s'est trouvés devant un homme très âgé, assez grand, qui devait avoir un certain charme quand il était jeune. Il me regardait, puis il regardait Josué, alternativement. Visiblement, quelque chose le fascinait. C'était moi ou Josué...

— Les deux, j'imagine, dis-je.

— Surtout Sawinne, dit Josué, qui aurait voulu reprendre le fil de leur histoire, mais Sawinne voulait raconter elle-même, étant donné qu'elle avait vu, elle, avec ses yeux...

— Non. L'homme te regardait autant que moi. Quand on s'est trouvés tout près de lui, il m'a dit: «Excusez-moi...», puis il a pris Josué par les épaules et il lui a regardé le visage, pendant un bon bout de temps. Puis il a dit: «Vous n'êtes pas aveugle de naissance, on dirait.»

Josué sauta sur l'occasion pour couper la parole à Sawinne:

— Moi j'ai répondu franchement: «Non, j'ai été aveuglé par ma fille.» Lui, il a répondu du tac au tac: «Moi, j'ai été aveuglé par le pouvoir...» Je pouvais pas comprendre ce qu'il voulait dire, comme de raison. Ça fait que je disais rien.

— Après avoir prononcé cette phrase mystérieuse, reprit Sawinne, il regardait droit devant lui, perdu dans ses pensées, comme on dit. Alors je lui ai demandé de s'expliquer. C'est à ce moment-là seulement qu'il m'a regardée comme un homme regarde une femme, fier, avec une lueur de désir dans les yeux. Puis il a dit: «J'ai déjà été Premier ministre du pays...»

Je faillis tomber en bas de ma chaise. L'ex-Premier ministre, le grand homme déchu, face à face avec mon frère Josué, ex-roi de Saint-Anaclet!

J'espère, Marielle, que tu comprends l'importance de cette rencontre, et que tu ne vas pas t'imaginer que je suis en train de délirer... Mais il faut que je te dise une chose, chère jeune fille. Juste à ce moment-là de son récit, qui était extrêmement captivant pour moi, Sawinne se leva, me tourna le dos pour aller à la cuisinière, et je revis, grâce à ma glorieuse mémoire visuelle, la petite fossette qu'il y a au-dessus de sa fesse, à peu près à la hauteur du sacrum... Une merveille! Le fantasme m'assaillit à la vitesse de la lumière: je me précipitai sur ce «gouffre» avec mes lèvres, et après avoir humé, léché, baisé, sucé, je pris une bonne bouchée de viande naturellement enveloppée dans la peau satinée. Le tout en une fraction de seconde. Mais c'était épuisant quand même et je me levai pour aller examiner les couteaux sur le comptoir. Quand je voulus les toucher, comme ça, machinalement, je m'aperçus que ma main tremblait. Puis Sawinne fut près de moi sans que je l'aie entendue venir. Elle marche toujours en glissant sur l'air... Elle vit ma main trembler, mais elle se contenta de me dire, sur le ton le plus naturel du monde:

— Tu me le diras, hein, quand tu seras décidé à les aiguiser.

— Pourquoi?

— Parce que ce jour-là, il va se passer quelque chose de spécial.

Je voulus sortir pour calmer mon imagination lubrique mais, sentant que je me dirigeais vers la porte, Josué m'arrêta. Il voulait absolument revenir à sa rencontre avec le «monsieur» sur le flanc du mont Royal.

— Tu peux me croire si tu veux mais, pour moi, ç'a été un des jours les plus importants de ma vie.

— Aussi important que le jour où tu as tué ton troupeau de vaches?

— C'est pas pareil, mais je sais que c'est tout rattaché ensemble, ces affaires-là...

— Alors dis-moi ce qui s'est passé, au juste.

— Rien... Y s'est rien passé de spécial... Seulement, j'ai senti que j'étais comme lui... que, d'une certaine manière, je lui ressemblais. Lui aussi, c'est une tête de cochon, tu comprends? Lui aussi, il a fait son temps...

— Mais j'ai trouvé qu'il avait encore un certain charme, dit Sawinne en clignant de l'œil vers moi.

— Toi, dit Josué, c'est parce que t'es une perverse sexuelle. Tu veux coucher rien qu'avec les vieux salauds...

Mi-rieuse, mi-fâchée, Sawinne marcha vers lui, prit sa main, la retourna et donna une bonne claque dans la vieille paume ridée.

— Tiens, méchant élève...

Josué émit un petit gloussement de vieillard-enfant. Je ne sais pourquoi, j'avais l'impression que notre petit monde se déréglait. La courbe des astres subissait des variations subites. Un malaise étrange me serra la poitrine. J'eus une vision terrible: j'étais enfermé dans un cercueil, vivant, sous la terre! J'avalai un verre d'eau. L'étau se resserrait. Là, les couteaux...

— Tu veux pas sortir avec moi, Josué?

— Non... Je veux plus voir le dehors...

Je me tournai vers Sawinne. Elle me regardait avec un sourire entendu, l'air de dire: «Tu vois bien, c'est la fin...» Nous avons échangé ce regard dans un long silence au cours duquel j'avais le sentiment que Josué nous épiait avec ses oreilles. Avait-il deviné que maintenant je désirais sa fille? Me réservait-il le même sort qu'à Norbert? Pendant mon sommeil, il lui était possible de venir me planter un couteau dans le dos, avant de se le planter dans le ventre.

En parlant de l'ex-Premier ministre, Josué a dit:

— Lui aussi, il a trouvé que je lui ressemblais, parce qu'à un moment donné il a dit: «Vous êtes mon frère. Permettez que je vous embrasse.»

— Oui, continua Sawinne, il s'est approché lentement de Josué et il l'a pressé contre sa poitrine.

Elle s'arrêta un moment puis, soudain très sérieuse:

— Je n'ai jamais vu une embrassade aussi pathétique. Deux hommes réunis par le souvenir de leur force, symbolisant l'impuissance des êtres humains à se bien gouverner...

— Il nous a invités chez lui, dans sa maison, dit Josué.

— Oui... Une belle grande maison dans laquelle il s'ennuie comme un chien galeux au fond d'une carrière abandonnée. Il nous a fait servir un repas, puis il a demandé à Josué s'il ne voulait pas rester avec lui pour toujours. Mais il lui demandait cela en me regardant avec des traces de lubricité dans les yeux.

— C'est normal, coupa Josué. T'es une belle fille...

— Mon cul! coupa Sawinne. Tu te rends compte? J'aurais pu vivre dans une espèce de château, comme une reine, regarder les deux vieux se promener en devisant sur le sort du monde...

— Oui, dit Josué, il voulait qu'on fasse des plans, ensemble, pour rebâtir le beau pays de son temps... Mais j'ai pas voulu.

— Et moi je n'ai pas voulu exposer mes fesses à un ancien homme d'État. Parce que ces gens-là sont trop calculateurs. On ne sait jamais ce qu'ils veulent. En plus, ils te comptent les poils du cul puis ils te disent: «Elle est bien mignonne, ta motte, mais il lui manque vingt-trois poils pour être parfaite...» Merci bien. Toujours est-il que nous sommes partis tout de suite après avoir avalé le café, un café un peu trop fort à mon goût, d'ailleurs. Alors le «monsieur» est devenu tout triste. Il a pleuré. «Ne m'abandonnez pas. Sans vous, je ne vois que la moitié du monde...»

disait-il. Ça, je ne l'ai pas pris. Pour se sentir en équilibre, il avait besoin, à la fin de ses jours, de s'appuyer sur des culs-terreux.

— Adieu, monsieur l'ancien chef d'État, dis-je. Alors il a osé me prendre les mains en me suppliant: «Sawinne, faites-moi la même chose que vous avez faite à votre père. Crevez-moi les yeux.»

Je l'ai regardé longuement au fond des yeux et je lui ai dit:

— Non. Il faut que vous puissiez voir les bêtises que vous avez faites, jusqu'à votre mort. On ne peut pas être Premier ministre impunément.

Puis je suis sortie.

— J'étais fier d'elle, dit Josué, parce qu'elle venait de dire ce que je pensais mais que j'étais pas capable d'exprimer.

Voilà, ma chère Marielle de Québec, c'est ici que je te quitte, pendant que Josué et Sawinne descendent la Côte-des-Neiges, à Montréal, pour aller s'asseoir dans un autobus qui va les amener jusqu'à moi... Ne pleure pas. Un autre que moi va venir, va te prendre par la taille, et il n'aura pas peur de te renverser sur un lit. Tu auras ta part de plaisirs et de souffrances, de chaleur et de froid, de mots tendres et de mots rudes, mais rien de tout cela ne viendra de moi. Tant pis. «Tout ce qui arrive est bien», disent les Japonais, dans leur grande sagesse. Adieu. Je te dis cela, ce vieux mot que l'on traîne depuis si longtemps, sans une larme dans la voix. Nous ne nous sommes pas vraiment fait de mal. Entre nous, il n'y a que de beaux sentiments. Pas de blessures. Pas de chair ouverte. Seulement la peau lisse de la cerise mûre. Or on ne peut pas s'en sortir sans ouvrir quelques plaies...

• • •

Une petite pause, pour changer de Marielle...

• • •

À partir de maintenant, je m'adresse donc à la Marielle de Rimouski.

Tu as seize ans et tu joues du piano. Je n'essaierai pas de dire que tu es belle. Tu l'es certainement, puisque je marche pendant une heure dans la tempête d'hiver pour aller m'asseoir près de toi et t'écouter jouer une rhapsodie de Liszt, ou quelque sentimentalité de Chopin. Ce qui te caractérise, c'est l'absence de rides. Tu es une jeune fille, avec des fesses, des seins, des hanches, et tout et tout, mais ton visage n'a pas encore été buriné par le temps. Tu es pure! Tu me souris, tes yeux brillent, puis tu fais courir tes doigts sur le clavier, avec une application d'enfant qui n'a jamais fait le mal. J'écoute, et la musique me purifie, moi le gros mâle, même si toi, sans le savoir, tu joues pour essayer de me séduire.

Oui, c'est à toi, Marielle la pure, que je vais raconter la dernière partie de mon séjour à Saint-Anaclet. Je ne veux pas te scandaliser. Non! Je veux simplement te faire savoir, un peu, ce qu'il adviendra de toi, un jour, peut-être: l'**enthousiasme** du corps...

Sawinne et Josué avaient fini le récit de leur voyage. Le mot fin me taraudait le ventre, comme un caillou qui a quitté sa vésicule biliaire et qui s'est engagé dans le canal cholédoque. Le spasme devenait insupportable.

Quand Sawinne se retrouva au centre-ville, à Montréal, et qu'elle monta dans un autobus en compagnie de Josué après avoir refusé de crever les yeux à l'ex-Premier ministre, je jetai un coup d'œil aux deux couteaux qui étaient à la même place depuis trois jours, puis je regardai la fille de Josué. Elle répondit à mon regard par un sourire complice. En ce sens que ses yeux me disaient: «Je sais, mon oncle, que tu vas te décider un jour à les aiguiser. Ce n'est pas facile, mais je suis avec toi. Courage...» Le propos accompagné d'une petite tape sur l'épaule. Une vraie maman qui encourage son fils à bien faire son devoir d'homme. Les devoirs de l'homme! L'avenir, la responsabilité, la recherche de l'excellence, la réussite!

Vaincre!
En avant!

Tous les poncifs de mon adolescence me remontaient à la gorge. Une vraie dérision.

Je sortis. Jamais le temps d'octobre n'avait été aussi beau. La profondeur du ciel, causée par l'air purifié, avait quelque chose d'envoûtant. Avec de bons yeux, j'aurais pu voir d'autres planètes. Monde infiniment grand... Que je me tourne à droite ou à gauche, je m'«enfargeais» toujours dans un cliché! Tout devenait simple. La marge de manœuvre dont je disposais était réduite à néant. Je ne pouvais plus insérer mon petit doigt entre quoi que ce fût. Il n'y avait plus de fissure où passer un ongle.

Déjà!

Je marchai tout le reste de la journée, arpentant la terre de mon défunt père, revivant les petits événements de mon enfance qui m'avaient marqué. Pourquoi ces quelques incidents m'avaient-ils tellement ému, si aujourd'hui, dans ma conscience, ils ne faisaient pas plus de bruit qu'une chute de pétales? Avez-vous entendu le tonnerre que produisent les pétales d'une rose, quand ils tombent?

Le soir, à table, nous avons mangé en silence. Tous les trois, nous sentions que le temps allait être forcé de s'arrêter. Pourtant, j'avais la certitude que nous avions encore en réserve des stocks formidables d'énergie. Justement, n'était-ce pas à cause de cette énergie que nous en étions réduits à cette issue: les couteaux?

Quand je fus au lit, la torture recommença. En imagination, je me mis à détailler le corps de Sawinne. Une fois de plus, mes fantasmes s'organisaient à partir de petits détails apparemment sans importance. La première fois, ce fut le pouce de Sawinne. Ce soir-là, ce fut une mèche de cheveux qui, à la suite d'un mouvement brusque, restait emprisonnée entre ses lèvres. Ce détail insignifiant, petit filet d'eau au creux d'un énorme rocher, devint une rivière tumultueuse en quelques minutes. Cheveux, lèvres: système pileux, touffe, lèvres vaginales, folliculine, entrecuisse, membre, caresse, genoux qui se redressent lentement, afin de permettre une pénétration plus excitante... J'étais au cœur d'une tempête sensuelle qui avait quelque chose de primitif, qui me ramenait aux commencements de l'homme: naître en surgissant, mourir en s'affaissant. Toujours ces deux temps qui rythment le mouvement naturel.

Le progrès s'étrangle de lui-même.

Je passai une nuit tellement atroce que le lendemain matin, ma décision était prise. Il fallait en finir. Quand mes toasts furent avalés, je sortis pour aller au hangar où je trouvai une vieille pierre qui servait autrefois à aiguiser les faux. Le bruit causé par le frottement de la pierre contre la lame fit dresser la tête de Josué.

— Ça y est? Tu les aiguises?

— Oui.

— C'est pas trop tôt...

Josué était serein. À ce moment-là, Sawinne s'approcha de moi avec un sourire plus ou moins teinté de provocation. Elle me regarda longuement, posa une main chaude sur mon épaule, et je faillis me couper un doigt dans un faux mouvement, car elle me demanda:

— Mon oncle, est-ce que tu ne m'as pas dit que tu voulais un fils?

J'arrêtai le mouvement de la pierre immédiatement, craignant de m'estropier car je tremblais comme une feuille. Toujours en me dardant de ses yeux noirs, elle prit ma main et la posa sur son ventre. La chaleur de la vie était là.

— T'as pas déjà fini? demanda Josué. Y faut les aiguiser comme il faut, ben pointus...

— Oui. T'inquiète pas.

Marielle, sous tes doigts agiles qui se promènent sur le clavier, il y a une mélodie qui se déploie en ondulant gracieusement. Dans cette musique, où il n'y a rien au départ (rose du Bengale), tu essaies de mettre tous les beaux sentiments qui sont en train de germer dans ton âme de jeune fille encore intacte. Sous les doigts de Sawinne, il y a ma main d'homme âgé, et sous ma main, il y a le ventre chaud de cette femme dans lequel un enfer s'organise, roule, gronde, tonne, bondit. Tous les cris de la divine humanité sont enfermés dans ces entrailles chaudes. Mais tu n'en sais rien, et tu me souris en ayant l'air de me signifier que tu viens de réussir tel passage, ou que tu as raté tel autre. Je bénis ton innocence, du bout des lèvres... Au fond de moi, je la maudis!

C'est aujourd'hui seulement que je viens de le comprendre, avec ma main sur le ventre de Sawinne. Sawinne femme, c'est-à-dire satan, homme et déesse en même temps.

Finalement, elle retira sa main et ma paume pleine de désir abandonna son ventre chaud. Je repris ma pierre pour continuer l'aiguisage des couteaux.

Mais à partir de ce moment-là, la journée ressembla à un grand ballet. Sawinne ne marchait plus. Elle avait l'air de danser plus que jamais, glissant sur le plancher, légère comme elle l'était à dix-huit ans, à l'époque où mon frère Norbert la possédait.

Quand le bruit de la pierre s'arrêta, Josué se leva et vint près de moi pour vérifier le fil des lames. Surtout les pointes.

— Il faut qu'ils soient pointus comme des alênes, hein...

— C'est à ton goût?

— O.K.

Josué avait toujours aimé le travail bien fait... Il me dit:

— Va donc à Rimouski chercher du gin. On va fêter ça, quand même...

— Oui, dit Sawinne dans un mouvement des bras qui venait tout droit du *Lac des cygnes*. On va fêter ça! Mon oncle, apporte aussi un beau gros gigot d'agneau...

Elle fit une pause, m'adressa son plus beau sourire, puis elle ajouta:

— L'agneau, c'est la viande du sacrifice...

Cela dit, elle repartit dans un mouvement circulaire tout en chantant une vieille chanson d'amour dans laquelle sa voix riche laissait percevoir le duveté de ses parois intimes. Alors malgré moi, une phrase toute faite me vint à l'esprit:

«C'est une vie nouvelle qui commence...»

Ce qui prouve bien que j'ai un sens de l'humour assez particulier...

Marielle, pendant que je vais faire mes courses à Rimouski, va chercher ton dictionnaire et cherche le sens exact du mot «enthousiasme». D'accord? C'est vers cet univers que nous nous dirigeons, chère jeune fille...

À Rimouski, j'achetai un système de son assez sophistiqué, quelques cassettes dont une sur laquelle il y avait un merveilleux enregistrement du grand air de la Reine de la nuit, extrait de *La Flûte enchantée* de Mozart, du champagne (pas trouvé de vrai caviar), des flageolets (deux heures de recherche), un beau gigot d'agneau, de la vaisselle, et trois couverts en argent. L'argent n'avait plus de sens pour moi, évidemment.

De retour à la maison, je trouvai Sawinne avec son sourire de déesse aux lèvres, légèrement vêtue, ondulant, courant plutôt que marchant, riant, parlant à Josué en l'appelant «papa», ce qu'elle n'avait jamais fait, du moins à ma connaissance.

— Papa, veux-tu un bon café, pour t'aider à passer le temps?

— Non, merci, ma belle fille. C'est pas aujourd'hui que j'vais trouver le temps long...

Sawinne m'accueillit comme une jeune femme qui retrouve «son» homme après une longue absence. La «danse» animale qu'elle avait commencée le matin continua donc de plus belle, riche en mouvements circulaires et en frémissements de jarrets, en frôlements de bras et de mains. Et j'étais en accord parfait avec ce rythme du sang qui, à force de coups répétés, finit par générer des ondes sur lesquelles les futurs amants n'ont qu'à se laisser porter.

L'enthousiasme, Marielle... As-tu trouvé? Nous y reviendrons au moment où ce sera plus pertinent, plus approprié. Pour l'instant, continue à jouer tes arpèges, ces formes qui se marient plutôt bien aux mouvements circulaires de Sawinne. Tes arpèges sont «purs», éthérés, clairs comme les regards que tu poses sur moi, le puceau, tandis que les mouvements de Sawinne sont empreints de cette sensualité que les fauves laissent échapper de tous leurs pores, sans aucune pudeur. Mais le cercle est là, dans les deux cas, fondamental, et il t'apprend, sournoisement, à écouter les résonances de ton utérus.

Quand je sortis le champagne, Sawinne ne cria pas de joie comme une femme du «peuple» qui s'énerve parce qu'on lui fait un gros cadeau. Non. C'est dans ses yeux que je vis le contentement, l'appréciation. Elle le mit au frigo en caressant les bouteilles. Et pendant que je travaillais à l'installation du système de son, elle chantonna en préparant le repas.

J'installai quatre haut-parleurs. Un dans la cuisine, un dans la chambre de Josué, un dans la chambre de Sawinne et un autre dans la mienne. Vieille de cent-cinquante ans au moins, notre maison de bois allait résonner comme une boîte de violon. Malheureusement, je ne serais pas là pour entendre ce «bruit» joyeux...

Mais, assez curieusement, je n'en éprouvais aucune tristesse. J'avais aiguisé les couteaux, que j'avais replacés sur le comptoir, et mon sort était fixé à jamais.

Quand tout fut en place, Josué réclama un premier verre de gin. Il était près de dix-sept heures. La noirceur s'était déjà installée mais j'avais l'impression qu'elle continuait d'avancer, lent chariot qui précède le lac immense de la nuit. Je devenais plus sensible à la marche du temps. Comment s'en étonner?

— Tu veux pas de champagne, Josué?

— Non. C'est pas aujourd'hui que j'vais changer mes habitudes. J'ai pas envie d'avoir mal à tête demain matin.

Alors nous sommes partis d'un grand éclat de rire tous les trois, d'un rire qui se prolongea en d'interminables cascades, comme si nous avions éprouvé le besoin de nous construire des escaliers pour nous laisser rouler au fond d'un océan protecteur. Les abysses ne sont-ils pas les utérus dans lesquels retournent les morts pour se libérer de la vie qui fait mal? C'est peut-être difficile à comprendre, pour toi, Marielle, puisque tu ignores même l'existence de ton ventre, mais je ne peux pas m'empêcher de te le dire.

Je servis donc un grand verre de gin à mon frère et je plaçai la bouteille à côté de sa chaise.

— Tiens, la bouteille est là...

— J'ai pas envie de me saouler non plus...

— Au fond, Josué a toujours été un homme raisonnable, hein papa?

Sawinne avait une façon de se détacher de son père, tout en s'y accrochant, qui me bouleversait.

— Non. J'ai jamais été tellement raisonnable, quand j'étais plus jeune, je veux dire... Depuis que je suis aveugle, je le suis un peu plus... Je te remercie, Sawinne.

Alors elle me regarda d'un œil interrogateur, hésita une seconde et s'abandonna au cynisme avec délectation:

— C'était un plaisir, papa!

Ce qui nous fit éclater de rire une fois de plus, et juste à ce moment-là le premier bouchon de champagne sauta. Sawinne avait un sens inné de la «cérémonie», à cause de ses lointains ancêtres, qui étaient capables (ou obligés?) de se faire du théâtre avec n'importe quoi, pour ne pas crever dans les steppes du nord. En effet, quand sa coupe fut pleine, elle me fit signe d'attendre, marcha jusqu'à l'autre bout de la pièce, en diagonale, puis elle leva son verre dans ma direction.

— Viens vers moi, dit-elle.

Nous avons marché l'un vers l'autre en nous regardant dans les yeux, comme des espèces de Roméo et Juliette allant à la rencontre l'un de l'autre en traversant une scène immense, afin de s'unir dans la fatalité. Mais dans les yeux de Sawinne, il y avait toute la beauté d'un soleil qui se lève.

Et puisque nous en sommes à cette belle image, ma chère petite Marielle, allons au mot ENTHOUSIASME. Comme tout le monde, quand tu lis ce mot ou quand tu le prononces, tu penses à quelque chose qui est plus ou moins synonyme de joie, de plaisir, d'entrain, etc. Tu as raison. Mais il faut aller à la racine de ce mot qui est surprenante, car elle renferme le mot «dieu». Oui! Et être pris par l'enthousiasme, c'est un peu comme «monter en Dieu en étant ravi par le bonheur d'exister». Devenir Dieu, à force de pousser sur son corps avec la puissance de son âme.

Bien sûr, il s'agit d'une opération difficile, qui commence par une vidange totale de la conscience. Se nettoyer de tous les tabous et de toutes les idéologies que les religions et les philosophies nous infusent depuis des siècles. (Quel venin!) Pouvoir se retrouver seul avec l'idée de la divinité...

En somme, redevenir aussi pur que ton œil de jeune fille ou tes doigts blancs qui courent sur le clavier en faisant naître des sons aussi propres que les étoiles.

Figure-toi qu'avec Sawinne, je sentais qu'une telle opération était possible. Et je crois que j'avais raison. Plus le temps avançait, plus j'étais en accord avec les élans qui généraient ses mouvements, cette «danse» qui présidait maintenant à tout, même quand elle devait déposer un plat sur la table, ouvrir le four de la cuisinière ou verser de l'eau dans la bouilloire. Intérieurement, je bougeais avec elle. Sawinne m'avait déjà fasciné, au sens premier du terme. Je volais avec elle vers la «connaissance», vers la possession du sacré que l'on a connu chez les primitifs.

Si Dieu est partout, il est aussi dans ton cul, ma chère Marielle. Cela n'enlève rien, au contraire, à la beauté de ce petit chef-d'œuvre que tu es en train de jouer pour moi: «Für Elise»... Vas-y. Joue doucement, tendrement, en me jetant des coups d'œil furtifs. Suis-je ému? Oui. Mais je ne bande pas. C'est défendu. Joue, du bout de ce petit doigt que tu te fourreras dans le vagin, demain matin à l'aube, quand les merles te réveilleront. Marielle de Rimouski, je ne t'aime pas. Je te regarde seulement comme une fleur.

Les fleurs sont menteuses. Comme la lune, elles existent pour nous faire croire que la violence n'existe pas. C'est pourquoi une chute de pétales ne m'a jamais fait pleurer. Mais un cochon que l'on saigne, oui... Dans le même ordre d'idées, voici deux passages d'un petit livre que je te souhaite de lire quand tu auras fait l'amour une douzaine de fois. C'est tiré de *La Sainte Face,* par Élie Faure, livre écrit après son expérience à la guerre de 14: «Voilà ce que j'ai vu. Voilà ce que dix millions de vivants ont vu. Voilà ce que, depuis cent siècles, des milliards de morts ont vu. Pourtant la guerre persiste.» Ce qu'ils ont vu, ces gens-là, ce sont des «horreurs», bien sûr... Et cet autre passage, qui me trouble étrangement: «Ce marchand de tableaux me dit: "Il est plus important pour la France de posséder un homme comme Renoir qu'une province de plus ou de moins." Je réponds: "C'est tout à fait mon avis, mais reste à savoir si ce n'est pas grâce à la qualité de l'effort que donne un pays pour conquérir ou garder une province qu'il peut produire un Renoir."»

Voilà pour nos écolos et tous nos pacifistes intolérants...

J'avais aussi acheté une cassette de musique rock, au cas où Sawinne pourrait avoir du goût pour ce rythme bêtement répétitif. (Mais je m'égare! Les battements du cœur, alors?) Vers dix-huit heures, je tournai le bouton du système de son, pour voir si tout fonctionnait bien. Bang! Bang!

— Viarge! Qu'est-ce que c'est ça? cria Josué.

— C'est de la musique moderne, papa!

Et Sawinne se mit à bouger du bassin, des hanches, des genoux, du buste.

— Dansons, mon oncle!

Je n'avais jamais dansé. Pourtant, je me laissai emporter par son mouvement, debout devant elle, oubliant pour un instant la rigidité de mes vieilles articulations.

— Viens danser, papa!

Un peu ivre, debout au bord du précipice que l'aube allait être, Josué se leva et se mit à gigoter tant bien que mal, laissant échapper des hurlements de Mohawks... Au bout de quelques instants il voulut se laisser retomber sur sa chaise mais il avait oublié son déplacement et il se retrouva sur les fesses, par terre, riant à belles dents, la tête levée vers nous deux. C'était la première fois que je le voyais sous cet angle, les trous de ses yeux offerts en plongée à ma vue. Vulnérable...

Je tournai le bouton de l'appareil pour mettre fin au «bruit», puis je plaçai la cassette de Mozart dans la machine et donnai mes instructions à Sawinne pour le lendemain matin. La fête continua, le champagne coulant, apportant sa légèreté de bulle à tout ce que nous mangions, à nos mouvements et même à nos regards. Ainsi, au soir de ma vie, je comprenais enfin pourquoi on avait eu, dans l'Antiquité, un dieu qui s'appelait Bacchus ou Dionysos, dieu du vin. Car l'ivresse aussi est sacrée, à cause de l'enthousiasme, justement! Ne l'oublie pas, Marielle. Un jour, il faudra bien que tu «montes en Dieu» toi aussi, autrement ta musique n'aura pas plus de valeur qu'un bourdonnement de maringouin...

Josué mangeait avec application, lentement, joyeux, répétant à tout instant que c'était bon, félicitant Sawinne pour le bon repas qu'elle avait mitonné, en posant sa vieille main sur le bras de sa fille.

J'avais réussi à boire modérément, même si mon stock de champagne était considérable, de sorte que mon euphorie était parfaite.

Sawinne étant à peu près dans le même état que moi, nous nous trouvions tous les trois «en concordance de phase», pour ainsi dire, ce qui nous faisait voguer sur la même mer, embarqués sur le même bateau, un bateau qui semblait avoir des ailes. Moi aussi, je touchais Sawinne, aux bras, aux cuisses, et elle répondait à mes caresses par des regards si chargés de sensualité que je commençais à craindre pour le dénouement de cette nuit qui allait faire appel à mes réserves d'énergie...

Le mouvement circulaire que Sawinne avait imprégné à tout ce qui vivait dans la maison continuait de plus belle, valse à trois temps qui nous soulevait tous les trois, dans une spirale qui nous faisait monter vers le ciel, vers la lumière...

— Il y a longtemps que tu as baisé, mon oncle?

— Ton oncle vit comme un moine depuis des années, dit Josué, voulant sans doute me mettre sur le même pied que lui. Le jaloux!

— Cette nuit, dit Sawinne, je te promets la meilleure putain du monde...

— Tu vas en faire venir une de Rimouski? demanda Josué.

— Non! Non! dit-elle en éclatant de rire. La putain, c'est moi!

Josué éclata de rire lui aussi, moi de même, et nous levâmes nos verres à ce moment historique. D'autant plus historique qu'il se passait dans un coin reculé, perdu, sans trace de civilisation aucune à part l'appareil de télévision qui dormait dans la cuisine et le téléphone qui était accroché au mur. Si tant est que ces instruments modernes puissent être considérés comme des preuves de civilisation...

Mais quand je parle de civilisation, Marielle, je pense surtout à des connaissances transmises par les livres. La petite phrase de Sawinne: «La putain, c'est moi!», me fit le plus grand plaisir. Non pas parce que j'allais être son client, mais parce qu'elle me ramenait à mes vieilles «bibites», les religions et les croyances religieuses. Je vais donc te transcrire un court passage d'un petit livre de Philippe Camby intitulé *L'Érotisme et le Sacré*.

«Le mariage est tellement méprisable que Héloïse, pourtant devenue la supérieure d'un couvent, écrit à Abélard que "bien que le nom d'épouse paraisse et plus sacré et plus fort", elle en a toujours préféré un autre "plus doux à son cœur", celui de "maîtresse" ou, ajoute-t-elle encore, "laisse-moi te le dire, celui de ta concubine ou de ta putain".»

As-tu donné un «gros» coup de poing sur ton *si* bémol en lisant cela, ma chère Marielle? Oui? Eh bien! Prépare-toi à arracher ton *fa* dièse. Car Abélard et Héloïse, ces grands amoureux, cela se passait au Moyen-Âge, au temps où l'Église catholique était florissante. Tellement florissante qu'elle pouvait envoyer des femmes au bûcher impunément, en prétextant qu'elles étaient des sorcières. Quelle chaîne de télévision, à l'époque, pouvait bien inculquer la violence aux hommes? Mais si on remonte dans le temps, à une époque où des pays comme la Grèce et la Perse étaient au sommet de leur civilisation, on découvre que la prostitution était alors sacrée. Eh oui! Les femmes passaient un certain temps de leur vie au temple et se prostituaient «religieusement». L'argent était réservé aux dieux... Arrache ton *fa* dièse...

Et pourquoi donc? Je ne veux pas te donner un cours d'histoire, ce n'est pas le moment, mais seulement te faire réfléchir un peu. À cette fin, voici un autre petit passage du livre cité plus haut:

«Cette assimilation symbolique de la femme avec la terre qui justifiait en partie l'union mystique avec la prostituée fera aussi de la hiérogamie un gage d'immortalité.»

Pouvons-nous dire les choses plus simplement? C'est possible... Un jour, tu laisseras peut-être le piano au profit des livres. Les livres sérieux, alors tu comprendras.

Josué se leva de table le premier, repu, le visage rouge, gonflé de sang chaud. Il prit les deux couteaux sur le comptoir, s'approcha de Sawinne et l'embrassa longuement. Allait-il pleurer, montrer une certaine émotion? Non. Il se comporta avec la même logique qui avait présidé à tous ses actes depuis son retour. Il avait l'air heureux.

— Bonne nuit et bon voyage, ma fille. Moi, mon temps est fait.

Puis il se tourna vers moi et en soulevant légèrement les couteaux, il me dit:

— À demain matin...

Quelques minutes plus tard, il ronflait. Dans la maison, il ne restait plus que les traces de souvenirs, pour ainsi dire, des six ou sept générations qui avaient composé notre famille. C'était dans les murs, sur les planchers, au plafond... Des cris d'enfants qui naissent, des rires, des plaintes contre le mauvais temps, contre les gouvernements, contre les riches, puis quelques bons moments d'émotion, aux enterrements et aux mariages. Il y avait tout cela qui suintait des murs, qui nous enveloppait Sawinne et moi, les deux derniers, peut-être, à respirer cet air familial.

Comme tu le vois, Marielle, une petite pointe de nostalgie me traversait la poitrine à ce moment-là, mais ce fut l'affaire d'un instant. Tout de suite l'*enthousiasme* revint prendre sa place. Sawinne me souriait, le visage empourpré par la viande et le vin. Avec une femme «ordinaire», le déroulement des gestes qui constituent le fait de «baiser» eût été facile, naturel. Mais avec ma nièce qui s'appelait Sawinne, descendante d'Amérindienne soulevée par l'enthousiasme, c'était autre chose. C'est elle qui s'approcha de moi, car je restais immobile depuis que Josué ronflait, qui m'enveloppa de ses bras et me serra contre elle. À cause de sa chaleur, c'est ma mère qui remonta à ma mémoire, plutôt que ces autres embrassades, lointaines, que j'avais déjà connues. C'était bon.

Après avoir desserré son étreinte, Sawinne toucha doucement mon visage, le découpa du bout des doigts, comme un aveugle qui cherche à reconnaître une personne qu'il a déjà connue. Puis, avec une belle giclée de bonheur dans la voix, elle me dit:

— Tu ressembles beaucoup à ton frère Norbert...

Alors elle ouvrit sa bouche et mangea mes lèvres.

Ainsi, à travers moi, c'est Norbert qu'elle désirait. Devais-je en souffrir? Pas le moins du monde, puisqu'elle était ce soir-là ma putain, comme elle m'en avait prévenu. Et ce n'était pas le moment d'être jaloux, à la veille d'un événement capital...

J'ouvris la porte de la maison, pour faire entrer un peu d'air frais. Surprise! La lune était pleine, comme dans les belles histoires d'amoureux. Le ciel pur, plein d'étoiles, exerçait une force ascensionnelle aussi puissante qu'au mois d'août, par un jour de grand soleil. Sawinne vint s'appuyer sur mon épaule pour regarder le paysage nocturne. Elle resta immobile pendant quelques secondes, mais tout à coup elle laissa échapper un grand cri qui me glaça le sang:

— Wouaaa!!! Viens, mon oncle, c'est génial!

Elle avait disparu dans l'autre chambre qui jouxte la cuisine. Je la rejoignis et vis qu'elle était en train de défaire le lit, c'est-à-dire qu'elle envoyait les couvertures et les draps voler à bout de bras pour découvrir le matelas. Devant tant d'énergie, je doutai de mes capacités à la satisfaire. Mais elle me dit:

— Aide-moi... Vite!

C'était le matelas sur lequel le corps de Norbert avait passé sa dernière nuit avant d'être embaumé et enterré. Elle s'était allongée auprès de lui, sans pleurer... Un matelas sacré, pour ainsi dire...

— Qu'est-ce que tu veux faire?

— On va monter le matelas sur la côte, en face de la grange... Après ça, si tu sais pas quoi faire, t'inquiète pas, moi je le sais...

Nous sommes sortis de la maison en portant cette chose qui se transporte si mal, riant, laissant la porte ouverte derrière nous, sans souci de ce qui pouvait y entrer. En nous, c'était l'orgie.

À ce propos, Marielle, je voudrais que tu lises un autre extrait du livre de Philippe Camby, dont je t'ai parlé un peu plus haut:

«La bacchanale et l'orgie, l'union mystique et le taurobole étaient producteurs d'enthousiasme, au sens strict du terme qui veut dire "endieusement". On quittait véritablement la condition humaine; on se sentait étranger aux lois et aux normes, et "l'état des fidèles est celui d'une possession divine que le délire même leur confère [...]: hors d'eux-mêmes, ils se confondent avec la divinité", et le délire leur donne un aperçu de la continuité des êtres, de l'unité, de l'Absolu.»

Referme le couvercle de ton vieux piano droit, Marielle, et regarde ce que nous avons fait, Sawinne et moi. Deviens voyeuse. Tu en profiteras, plus tard, quand tu voudras te libérer la conscience...

La lumière fade de la lune était assaisonnée du scintillement des étoiles, quelques milliards d'étoiles qui nous communiquaient leur énergie. Péniblement, à cause de la flexibilité du matelas, nous montions la côte avec ce fardeau qui allait nous protéger les fesses. Alors Sawinne me dit:

— J'ai jamais oublié l'enterrement de ton père, quand Norbert a fait monter le cercueil sur la côte, et que toute la famille suivait derrière, sans savoir ce qui se passait, sans savoir ce que Norbert voulait faire. C'est à cause de gestes comme celui-là que j'ai été envoûtée par ton frère. C'était la preuve qu'il était en dehors du monde ordinaire... En fait, peut-être pas vraiment en dehors, mais en contact avec des forces qui le guidaient...

— La divinité?

— Peut-être... En tout cas, il vivait au même diapason que moi, au même rythme.

— Selon toi, est-ce qu'il savait exactement pourquoi il faisait monter le cercueil et la famille sur la côte?

— Par la suite, il m'a avoué qu'il ne le savait pas exactement, mais c'est sans importance. Il savait qu'il devait le faire, c'est tout ce qui compte.

— Moi j'ai bien aimé cette ascension, que j'ai vécue comme une espèce de calvaire, parce qu'en montant la côte, je suis remonté jusqu'à mon enfance, jusqu'au sein de ma mère, et plus c'était douloureux (le fait de défaire ce que j'avais fait en me construisant une vie d'homme), plus cela me guérissait de mes états d'âme morbides.

— Tu vois, sans ton frère Norbert, aujourd'hui tu serais peut-être dans un asile psychiatrique...

Nous avons éclaté de rire tous les deux en nous retournant. Nous étions au sommet de la côte, et devant nous il y avait le fleuve qui s'amusait à renvoyer des éclats de lune vers les étoiles, comme pour répondre à leur message. Cela ressemblait à une espèce de danse universelle de Shiva...

Nous avons placé le matelas exactement où se trouvait le cercueil de Josaphat quand Norbert l'a survolé, puis nous sommes tombés dessus, ivres du sang qui bouillonnait en nous. Faire l'amour, ou «baiser» devenait une chose banale en soi, comparativement aux circonstances de lieu et de temps qui se trouvaient réunies pour nous deux à ce moment-là. Pendant que nous laissions aller nos corps à ces gestes inévitables, naturels, je pensais à des choses bizarres. Par exemple au fait que l'explosion du plaisir pourrait être comparée à la naissance et à la mort d'une étoile qui surviendrait dans les mêmes instants. Tout devenait futile à mes yeux, alors? Ou encore je pensais au fait que des millions de papillons aux ailes magnifiques viennent au monde et meurent sans qu'on puisse les voir.

Mais ce que je voulais surtout te dire, Marielle, c'est que Sawinne était celle qui menait le jeu. C'était elle qui me prenait, qui me faisait sentir ce qu'elle désirait, qui dirigeait plus ou moins ma main. Et elle était lente à s'ouvrir... comme le fleuve, au nord, coulait si lentement qu'il avait l'air immobile, aussi immobile que le temps, là où l'espace est incommensurable. Je me disais aussi que la lumière de la lune a l'air de ne pas voyager aussi vite que celle du soleil. Peut-être parce qu'elle est fade...

Pourtant, même si je lui avais laissé l'initiative, je voulus faire quelque chose qui me paraissait important. Me souvenant du geste de Josué qui, quelques jours plus tôt, s'était agenouillé dans une raie de labour et s'était incliné pour sentir l'odeur de la terre fraîchement ouverte, quand Sawinne releva les genoux et m'attira vers elle, je résistai et m'inclinai moi aussi pour insérer le bout de mon nez entre ses lèvres verticales, le laissant tremper dans les sucs de cette terre redevenue vierge, humant les mêmes odeurs que j'avais respirées dans le ventre de ma mère. Sawinne soupira d'aise et me dit que c'était une bonne idée.

Puis je me laissai aller au geste inévitable de la pénétration, geste simple et bête, propre à tous les mammifères.

À ce moment de nos jeux, qui étaient un peu du travail (!), la lune avait quand même fait un bon bout de chemin, car les ombres projetées par les arbres qui se trouvent près du hangar avaient changé de direction, de façon notable.

Mais je ne vais pas me laisser aller à la description des gestes répétés qui viennent ordinairement à partir de ce moment-là. Je vais passer la parole à une jeune femme d'une vingtaine d'années qui, en 1968, a écrit un petit livre racontant ses amours avec un amant. Elle s'appelle Mireille Sorgues.

«J'écoute en moi l'homme qui s'évertue

Il est sérieux comme un enfant, et j'ai pour lui
de la douceur. Quand je connais, à l'incertitude
de son regard, qu'il perd la raison, d'un mouvement de reins je précipite sa chute. Je brise
entre mes jambes sa vigueur et je le vois s'abattre
sur moi avec la grâce d'un arbre musical.
Couché, il tombe encore en tressauts brefs qui
résonnent sous son front et dessillent ses paupières. J'ai de la peine à voir se faner sa peau
d'où la couleur se retire.
C'est une fin parfaite
Sans un cri
ténue comme la mort impalpable d'un
papillon.

C'est une vieille histoire
L'épouse antique au retour de l'époux
le conduit sur la pourpre
et le tue dans son bain

avec ses propres armes. Exsangue
il gît (sur le seuil) du palais retrouvé.
Tu ressembles à ce mort.»

Ma chère Marielle, quand tu feras l'amour avec un homme, souviens-toi de ces quelques lignes, écrites par une femme qui avait seulement quatre ou cinq ans de plus que toi, et qui disent tout le mystère, le merveilleux et le tragique de l'amour. Si je pouvais rencontrer cette femme, je lui baiserais les pieds, car elle a dit en quelques mots ce que des milliers d'auteurs essaient vainement d'exprimer en des chapitres de romans qui n'en finissent plus.

Quant à moi, je me trouvais donc à l'œuvre, bien planté entre les jambes de ma nièce, et j'attendais justement ce moment où, malgré elle, secouée par l'orgasme, elle allait «précipiter ma chute d'un coup de reins»... Ce qui se produisit. Et elle cria comme une folle dans cette nuit de lune tellement claire qu'elle en avait l'air irréelle. Un long cri viscéral qui semblait remonter dans le temps, comme si elle avait essayé de rejoindre sa mère dans la mort.

Et au même instant, crois-le ou non, un chien se mit à hurler, quelque part à l'est du village, à quelques kilomètres de nous deux. Sawinne devenait chienne et l'animal la reconnaissait de loin. Ensemble, tous ensemble, nous roulions sur le fleuve qui nous emporte lentement vers les abîmes de l'océan.

Nous avons laissé le matelas sur le rocher. Le lendemain, les renards allaient venir renifler nos odeurs semblables aux leurs, et c'était très bien. Quelque chose de notre nuit allait se dissiper dans l'espace, minuscule vestige d'un moment important de nos vies.

J'ai dormi d'une traite jusqu'à l'aube.

Josué vient d'entrer dans ma chambre avec sa bouteille de gin et les deux couteaux...

FIN

Le post-scriptum de Sawinne

Lentement, à très petites doses quotidiennes, j'ai lu la longue lettre de mon oncle. Comme il y parle beaucoup de moi, j'ai envie de faire quelques commentaires, mais avant, je voudrais dire comment ça s'est passé, exactement, quand Josué est entré dans sa chambre avec les couteaux.

Il faisait encore noir quand je me suis éveillée. Je suis restée dans la chaleur de mon lit, avec le souvenir de ma «séance» d'amour au creux du ventre. C'était bon. Fou et bon. Peut-être parce que je sentais encore les mains de Norbert sur ma peau... À l'aube, j'ai entendu craquer les marches de l'escalier. C'était Josué qui montait. Je l'ai laissé entrer dans la chambre de mon oncle, et comme ce dernier me l'avait demandé, je suis allée faire partir le système de son. Une merveilleuse musique emplit toute la maison. Une musique que je n'avais jamais entendue, un air chanté par une voix qui me parut angélique mais, en même temps, pleine de sensualité. Je me suis sentie transportée, enlevée, comme je l'avais été la veille par mes forces intérieures.

Tout de suite, je suis venue me poster dans l'escalier, exactement là où s'était trouvé Josué quand il m'avait vue sortir de la chambre de Norbert, quinze ans plus tôt. Par la porte ouverte, je les voyais tous les deux en silhouettes, car le matin entrait par la fenêtre, derrière eux. Ils se sont dévêtus, Josué a pris quelques gorgées de gin au goulot. Il a tendu la bouteille à mon oncle qui a bu à son tour, puis Josué lui a tendu un des deux couteaux. Alors mon père a dit:

— Christ que j'ai eu une belle vie!

— Moi aussi! a dit mon oncle. Puis ils se sont jetés l'un contre l'autre en criant, la lame pointée vers leur cœur. Lentement, ils sont tombés sur le vieux plancher d'épinette, enlacés, pendant que la musique montait vers le ciel. Ils expirèrent au bout de leur sang qui giclait avec violence, encore tout plein de vie.

J'étais sidérée. Non pas par cette chose vulgaire que les bonnes âmes appellent «horreur». Non. J'étais sidérée parce que j'avais l'impression de voir deux hommes qui venaient d'atteindre la grandeur.

Voilà pour le «fait divers».

Après le double enterrement, qui a été le plus gros événement de Saint-Anaclet cette année-là, je me suis enfermée dans la maison et j'ai lu la lettre de mon oncle, tout en feuilletant les livres qu'il avait apportés avec lui. Comment ne pas être flattée par les belles choses qu'il dit de moi? J'ai relu certains passages à plusieurs reprises. Surtout celui où il me compare à Hélène de Troie se pavanant sur les remparts, fière, provocante, regardant de haut les hommes qui se font tuer pour elle.

Je préfère Hélène à Hippolyte. Être belle et coupable d'un amour plus ou moins incestueux, ce n'est pas «si tant terrible»... Mais être belle et cause d'une grande tragédie, c'est beaucoup plus enrichissant pour tout le monde.

Encore un petit détail. Mon oncle avait laissé un livre sur sa table de chevet, ouvert à une page où un petit passage était souligné. Le voici: «La grandeur d'une œuvre ne se mesure pas au nombre de suffrages qui l'accueillent, mais à la secousse qu'elle imprime à quelques silencieux esprits.» Le livre en question s'intitule *La Sainte Face* et son auteur est un dénommé Élie Faure, que je ne connais pas. Je pense que je vais lire le livre au complet, à cause de la petite phrase.

Somme toute, je crois que mon oncle était un type bien. Et je ne regrette pas d'avoir fait l'amour avec lui. Il n'a pas été à la hauteur de son frère, mais sur ce chapitre, il y a longtemps que les femmes ont appris à se contenter de ce qu'on leur donne... Maintenant je suis enceinte. J'espère que ce sera un fils, pour donner des bras aux terres de Josué. Si c'est une fille, tant pis. Je suis capable de l'aimer quand même...

FIN

DANS LA MÊME COLLECTION

• Audet, Noël
L'EAU BLANCHE
L'OMBRE DE L'ÉPERVIER
LA PARADE
ÉCRIRE DE LA FICTION AU QUÉBEC

• Beauchemin, Yves
DU SOMMET D'UN ARBRE
JULIETTE POMERLEAU
LE MATOU (POCHE)

• Bélanger, Denis
RUE DES PETITS-DORTOIRS
LA VIE EN FUITE

• Bessette, Gérard
LA COMMENSALE
LE CYCLE
LE CYCLE (POCHE)
LES DIRES D'OMER MARIN
LA GARDEN-PARTY DE CHRISTOPHINE
L'INCUBATION
LE SEMESTRE

• Billon, Pierre
L'ENFANT DU CINQUIÈME NORD
LE JOURNAL DE CATHERINE W.

• Blondeau, Dominique
LA POURSUITE
LES ERRANTES
UN HOMME FOUDROYÉ

• Champetier, Joël
LA TAUPE ET LE DRAGON

• Cohen, Matt
CAFÉ LE DOG

• Collectif
AVOIR 17 ANS
PLAGES
UN ÉTÉ, UN ENFANT

• Demers, Bernard
LE ZÉROCYCLE

• Dor Georges
DOLORÈS
IL NEIGE AMOUR
JE VOUS SALUE, MARCEL-MAIRE

• Dupuis, Jean-Yves
BOF GÉNÉRATION

• Dutrizac, Benoit
KAFKA KALMAR: UNE CRUCIFICTION
SARAH LA GIVRÉE

• Fournier Roger
LE RETOUR DE SAWINNE

• Gagnier, Marie
UNE ÎLE À LA DÉRIVE

• Gagnon, J.
LES PETITS CRIS
LES MURS DE BRIQUE
FORÊT

• Gaudet, Gérald
VOIX D'ÉCRIVAINS

• Gendron, Marc
LES ESPACES GLISSANTS
LOUISE OU LA NOUVELLE JULIE
MINIMAL MINIBOMME

• Gobeil, Pierre
TOUT L'ÉTÉ DANS UNE CABANE À BATEAU

• Goulet, Pierre
CONTES DE FEU

• Gravel, François
LES BLACK STONES VOUS REVIENDRONT
DANS QUELQUES INSTANTS

• **Guitard, Agnès**
LE MOYNE PICOTÉ
LES CORPS COMMUNICANTS

• **Hamelin, Louis**
LA RAGE

• **Hamm, Jean-Jacques**
LECTURES DE GÉRARD BESSETTE

• **Jobin, François**
MAX OU LE SENS DE LA VIE

• **Jutras, Jeanne-d'Arc**
DÉLIRA CANNELLE

• **Lamirande, Claire (de)**
NEIGE DE MAI
L'OCCULTEUR
LA ROSE DES TEMPS
VOIR LE JOUR

• **La Mothe Bernard**
LA MAISON NATALE

• **La Rocque, Gilbert**
APRÈS LA BOUE
CORRIDORS
LES MASQUES (COMPACT)
LES MASQUES (POCHE)
LE NOMBRIL
LE PASSAGER

• **LaRue, Monique**
LES FAUX FUYANTS

• **Lazure, Jacques**
LA VALISE ROUGE

• **Le Bourhis, Jean-Paul**
L'EXIL INTÉRIEUR
LES HEURES CREUSES

• **Lemieux, Jean**
LA LUNE ROUGE

• **Lemonde, Anne**
LES FEMMES ET LE ROMAN POLICIER

• **Léveillée, Gilles**
LES PAYSAGES HANTÉS

• **Major, André**
LA FOLLE D'ELVIS

• **Mallet, Marilù**
LES COMPAGNONS DE L'HORLOGE POINTEUSE
MIAMI TRIP

• **Michaud, Andrée A.**
LA FEMME DE SATH

• **Michaud, Michel**
L'AMOUR ATOMIQUE

• **Mistral, Christian**
VAMP

• **Munro, Alice**
POUR QUI TE PRENDS-TU?

• **Oates, Joyce Carol**
AMOURS PROFANES
UNE ÉDUCATION SENTIMENTALE

• **Ouellette-Michalska, Madeleine**
L'AMOUR DE LA CARTE POSTALE
LA MAISON TRESTLER
LA TENTATION DE DIRE
LA FÊTE DU DÉSIR

• **Ouvrard, Hélène**
L'HERBE ET LE VARECH
LA NOYANTE

• **Paré, Yvon**
LES OISEAUX DE GLACE

• **Péan, Stanley**
LE TUMULTE DE MON SANG

• **Plante, Raymond**
LE TRAIN SAUVAGE

• **Poliquin, Daniel**
NOUVELLES DE LA CAPITALE
VISIONS DE JUDE

• **Poulin, Gabrielle**
LES MENSONGES D'ISABELLE

• **Poulin, Jacques**
VOLKSWAGEN BLUES (COMPACT)
VOLKSWAGEN BLUES (POCHE)

• **Proulx, Monique**
SANS CŒUR ET SANS REPROCHE
LE SEXE DES ÉTOILES

• **Ramsay, Richard**
TRISTEHOMME ET ESSEULÉE

• **Raymond, Gilles**
SORTIE 21

• **Renaud, Thérèse**
LE CHOC D'UN MURMURE

• **Rioux, Hélène**
CHAMBRE AVEC BAIGNOIRE
L'HOMME DE HONG KONG
UNE HISTOIRE GITANE

• **Robidoux, Réjean**
LA CRÉATION DE GÉRARD BESSETTE

• **Robin, Régine**
LA QUÉBÉCOITE

• **Saint-Amour, Robert**
VISITEURS D'HIER

• **Saucier, Guylène**
SARABANDE

• **Sernine, Daniel**
CHRONOREG

• **Smart, Patricia**
ÉCRIRE DANS LA MAISON DU PÈRE

• **Smith, Donald**
L'ÉCRIVAIN DEVANT SON ŒUVRE
GILBERT LA ROCQUE, L'ÉCRITURE DU RÊVE
GILLES VIGNEAULT, CONTEUR ET POÈTE

• **Szucsany, Désirée**
LE VIOLON

• **Thério, Adrien**
MARIE-ÈVE, MARIE-ÈVE

• **Tougas, Gérald**
LA MAUVAISE FOI

• **Tougas, Gérard**
DESTIN LITTÉRAIRE DU QUÉBEC

• **Tremblay, Janik**
J'AI UN BEAU CHÂTEAU

• **Vanasse, André**
LA VIE À REBOURS

• **Vézina, France**
OSTHER, LE CHAT CRIBLÉ D'ÉTOILES

• **Vonarburg, Élisabeth**
CHRONIQUES DU PAYS DES MÈRES
AILLEURS ET AU JAPON